LA PROPHÉTIE
DES GRENOUILLES

JACQUES-RÉMY GIRERD

LA PROPHÉTIE DES GRENOUILLES

D'après le film *La prophétie des grenouilles*
réalisé par Jacques-Rémy Girerd
Scénario : Jacques-Rémy Girerd, Antoine Lanciaux, Iouri Tcherenkov
Production : Folimage-www.folimage.com
www.laprophetiedesgrenouilles.com
Illustrations : images extraites du film

À Lucy-Lou, Coline, Gaston
et Charlie
À Pablo
À Naomie et Nouria
À Barbara, Tristan, Mathilde,
Lilou et Fanfan
À Théo et Gauthier
À Marine
À Laura
À Mathilde
À Michka et Dacha

et à tous les petits ratons laveurs...

première partie

LA PRÉDICTION

J'étais heureux avec Ferdinand et Juliette. Nous formions une vraie famille. La maison dans laquelle nous vivions sentait bon, les chats aimaient les caresses et les peaux de saucisson, les arbres et les champs s'étendaient à perte de vue autour de notre ferme. J'étais libre d'aller où je voulais, quand je voulais. Je passais mon temps à cavaler dans les prés et à grimper dans les arbres. Je connaissais tous les recoins, tous les chemins, toutes les cachettes.

J'étais loin d'imaginer le quart du dixième de ce qui allait s'abattre sur notre famille.

Juliette et Ferdinand ne sont pas mes vrais

parents de naissance, eux, ils sont morts des suites de la guerre qui a ravagé le pays où je suis né. Juliette et Ferdinand m'ont adopté bien avant que ma mémoire ne soit capable de se souvenir de quoi que ce soit. Je ne sais pas comment aurais pu être ma vie avec mes vrais parents, mais ce dont je suis sûr, c'est qu'avec ces remplaçants, je me sens toujours bien, c'est le bonheur, quoi ! Je les aime vraiment beaucoup et tous les jours je remercie la chance de m'avoir fait atterrir dans cette famille.

Ferdinand est une sorte de colosse avec un ventre énorme et une barbe de plus d'un mètre de long. J'adore son air malicieux et son sourire désarmant. Je ne l'ai jamais vu habillé autrement qu'avec une casquette et un pull marin – comme ça, tout le monde le reconnaît, même de très loin.

Au cours de sa vie, mon père a fait plusieurs fois le tour du monde et bourlingué sur toutes les mers du globe. Il a pris sa retraite peu de temps avant mon adoption. À ce moment-là, avec Juliette, ils avaient décidé de s'établir à la campagne dans une ferme perchée en haut d'une colline. Notre maison était loin de tout mais Juliette disait toujours qu'on y vivait comme dans un mini-royaume de conte de fées. Nous avions quelques animaux domestiques, des poules, des chèvres, deux cochons, un cheval, et même une vache qui nous donnait du lait deux fois par jour. Un bon vieux chien un peu feignant sur les bords complétait la petite famille.

En face de notre maison, de l'autre côté de la cour, se dressait une immense grange de quatre niveaux. Elle se voyait de loin. C'était un repère pour tous ceux qui, d'aventure, passaient dans les environs. Ferdinand m'avait dit un jour que du toit de cette grange, par temps clair, on pouvait voir la Grande Muraille de Chine. Je savais bien que c'était une blague, mais, pourtant, un jour, je suis pratiquement sûr de l'avoir aperçue.

Depuis que Ferdinand avait abandonné la marine pour l'agriculture, il se passionnait pour son tracteur, une véritable antiquité qu'il avait repeint en rouge vif. Quand il était aux commandes de son engin, je guettais toujours le moment où il allait me dire : « Allez, grimpe, fiston ! » Alors là, je sautais de joie. J'avais intérêt à me cramponner solidement à la tôle du garde-boue pour ne pas me faire éjecter. Ça me cisaillait les doigts mais je n'aurais cédé ma place pour rien au monde. Le tracteur de Ferdinand faisait un boucan de tous les diables ; enfin, quand le moteur décidait de démarrer, ce qui n'arrivait pas chaque fois, loin de là.

Je dois vous dire que mon père aurait bien aimé que je lui dise Papa quand je m'adressais à lui mais c'était plus fort que moi, ce mot-là n'arrivait pas à sortir de ma bouche. Avec sa barbe blanche, son ventre gonflé et sa peau ridée, il m'impressionnait. Comme il était vraiment très vieux, j'avais pris l'habitude de l'appeler Grand-père, ça venait naturellement, comme ça. Bien sûr, ça me gênait toujours un peu de le voir froncer les sourcils quand je lui disais Grand-père, mais en même temps, je sentais bien qu'au fond il me comprenait. Ses rouspétances ne sonnaient jamais comme de vrais reproches. C'était comme s'il faisait semblant d'être grincheux – un petit jeu juste entre lui et moi.

Avec maman, c'est différent, elle est beaucoup plus jeune. Un jour, alors que je venais d'appeler mon père « Grand-père », elle m'a repris avec sa voix toute douce :

— Tu es notre fils tout de même ! Tu ne m'appelles pas Grand-mère, moi !

Je lui ai répondu en riant :

— Oui ! mais toi, c'est pas pareil ! T'es jeune !

Elle a fait alors mine de s'offusquer.

— Qu'est-ce que tu dis là, Tom !

Puis se tournant vers Ferdinand :

— Tu l'entends, cette petite canaille, Ferdi !

Alors mon père a marmonné dans sa barbe :

— Non, j'entends rien du tout !

Je bois du petit lait quand Ferdinand appelle ma mère Juliette. Il prononce son nom avec une intonation tellement particulière, on dirait qu'il est timide devant elle et aussi plein de tendresse. Il semble toujours s'adresser à elle pour la première fois. Ça fait fondre ma mère, qui le serre contre sa poitrine en roucoulant. J'aime les voir amoureux de cette façon. Ça vaut tous les cadeaux du monde.

Naturellement joyeuse, Juliette rit et chante du matin jusqu'au soir. Sa bonne humeur est communicative. Avant, même quand Ferdinand s'emportait contre son tracteur récalcitrant, elle parvenait à le calmer juste en fredonnant un petit air de son pays. Je ne sais pas comment elle fait, mais on a toujours l'impression qu'elle ondule lorsqu'elle se déplace. C'est inné chez elle, elle ne peut pas s'empêcher de danser. Maman n'a pas la même couleur de peau que nous. Les gens disent qu'une femme noire qui adopte un enfant blanc est un signe du ciel. Ça me remplit de fierté. Elle est belle. Son visage lisse, ses pommettes saillantes et rosées, son regard transparent, tout chez elle respire la douceur et la bonté.

Maman a gardé certaines habitudes de son pays, elle s'habille tous les jours avec de merveilleux boubous colorés, agrémente sa cuisine de sauces piquantes, et parfois, quand la coutume africaine la démange trop, elle s'entraîne à faire de la magie. Juliette m'a confié que sa grand-mère paternelle lui avait transmis quelques secrets de sorcellerie. Seulement voilà, à chaque tentative de mettre en application ce que son aïeule lui a appris, c'est un « vrai bide », comme dit Ferdinand. Elle a beau réciter tout un tas de formules magiques, mettre le ton, faire rouler ses gros yeux, tordre la bouche en sautant sur place comme un cabri, l'opération se solde par un échec. Quand elle se met dans ces états-là, avec mon père on se regarde du coin de l'œil et, c'est plus fort que nous, on ne peut pas s'empêcher de rire à s'en faire mal au ventre.

Ce qui est extraordinaire, c'est que Juliette ne le prend jamais mal, au contraire elle rit de bon cœur avec nous.

— Décidément je n'y arriverai jamais ! conclut-elle chaque fois.

— Ah ! Tu nous feras mourir de rire, avec ta magie qui rate, Juliette ! s'esclaffe mon père.

— Te moque pas, Ferdi, avec ma grand-mère ça aurait marché, je te jure ! Walaïe !

Bref, nous vivions heureux tous les trois dans ce petit paradis. Mais l'histoire que je vais vous raconter n'aurait pas du tout été la même si je n'avais pas eu comme voisine une certaine Lili.

Lili Lamotte, la fille de nos voisins, est ma meilleure amie. Elle n'a qu'un an de plus que moi mais ça suffit pour qu'elle décide de presque tout. Curieusement, cette situation ne me gêne pas, je l'accepte, mais seulement parce que c'est elle. Malgré ses petites tyrannies de demoiselle, je l'aime bien et même un peu plus. On est tout le temps ensemble, à tel point que ma mère dit souvent qu'on est comme frère et sœur. Cette idée ne me plaît guère parce je sais que c'est interdit de se marier entre frère et sœur et j'espère pourtant bien qu'un jour Lili acceptera d'être ma petite amie. Mais ça, je le garde pour moi, c'est mon secret.

Les parents de Lili possédaient un petit zoo à moins de six minutes en contrebas de la ferme de Ferdinand. Sans le vouloir, Lili avait été à l'origine de cette ménagerie. Pour ses huit ans, son père, René Lamotte, lui avait demandé ce qui lui ferait plaisir. Lili rêvait depuis longtemps de posséder un animal. Elle s'était décidée pour un cochon d'Inde. Alors son père avait enfilé son plus beau costume, mis son meilleur chapeau, et s'était rendu à la ville pour se procurer la petite boule de poils.

La sous-préfecture était assez éloignée du hameau. Avec le bus, qui passait une fois par jour devant l'étang des Justices, il fallait compter une bonne journée pour faire l'aller et retour. Seulement voilà, huit jours après son départ, M. Lamotte n'était toujours pas revenu. Sans nouvelles de lui, Lili et sa mère, Louise, étaient très inquiètes. Ferdinand descendait leur rendre visite tous les jours pour les rassurer, il connaissait bien le père Lamotte et disait qu'il ne fallait pas trop s'inquiéter, qu'il allait finir par rentrer au bercail. De toute façon, la gendarmerie n'avait rien signalé d'anormal. Mais Louise était persuadée qu'il lui était arrivé un accident, elle pleurnichait et se reprochait de l'avoir laissé partir seul.

Peu de temps après, un matin, Lili et sa mère furent réveillées par un drôle de raffut. C'était M. Lamotte qui revenait comme s'il les avait quittées la veille, jovial et poussiéreux de la tête aux pieds. Il était accompagné de deux éléphants et d'une girafe. Pour toute explication, il déclara simplement, avec un large sourire :

— Regardez ! J'ai trouvé beaucoup mieux qu'un cochon d'Inde ! Deux grosses bébêtes et mademoiselle Le Long Cou !

C'était tellement énorme et inattendu que personne n'osa poser de questions. M. Lamotte embrassa tout le monde chaleureusement et on ne revint jamais sur ce qui s'était passé. Le père de Lili était comme ça, à la manière d'un paratonnerre, il attirait les embrouilles, lesquelles finissaient miraculeusement par tourner à son avantage.

Avec le temps, le premier trio d'animaux avait été enrichi d'un tigre, d'un lion et d'un zèbre, de sorte que M. Lamotte avait cru nécessaire de souder une enseigne métallique à l'entrée de sa propriété pour signaler officiellement l'existence du zoo. Nous, on ne se faisait jamais prier pour aider à distribuer la nourriture et soigner les animaux.

On avait fini par s'en faire des amis et Lili ne regretta jamais son cochon d'Inde.

« Y a vraiment pas de quoi se prendre le chou ! » était la phrase préférée de M. Lamotte. Il en avait fait sa devise. Aucune situation d'aucune nature ne pouvait lui faire perdre son flegme inaltérable. Il donnait l'impression que rien n'était important, exceptée une chose : le jour du 14 Juillet. Personne ne savait pourquoi, mais c'était comme ça, la fête nationale le transfigurait. Une année, il avait acheté de quoi faire un feu d'artifice : quelques fusées, des spirales tournantes et des feux de Bengale. La nuit venue, au dernier moment, une averse se déclencha. Ce contretemps aurait pu déranger ses plans. Pas le moins du monde, le père de Lili transporta tout son matériel pyrotechnique à l'intérieur de la ménagerie et alluma les mèches. Ce qui devait arriver, arriva ! Ils durent passer une bonne partie de la nuit à éteindre le début d'incendie qui s'était déclaré. Des seaux, des seaux et encore des seaux ! Et pendant que tout le monde faisait la chaîne, René Lamotte, complètement euphorique, ne cessait de répéter : « Extraordinaire, non ! »

L'irresponsabilité et la loufoquerie du père Lamotte exaspéraient sa femme. Elle avait tout essayé pour le faire changer, sans aucun résultat.

Louise avait fini par accepter son « calvaire », comme elle disait, et prenait beaucoup sur elle-même pour ne rien laisser paraître. Une seule fois, sans doute parce que son mari l'avait mise à bout de nerfs, elle s'était laissée aller à dire : « Ah celui-là ! Si je pouvais, je l'empaillerais ! »

La mère de Lili était tout sauf folklorique. Elle était obsédée par l'ordre et la propreté, ce qui la conduisait à vivre dans un perpétuel état d'inquiétude. Elle faisait partie de ces femmes qui sont toujours prêtes à apprendre qu'un malheur est arrivé à l'un de leurs proches. Elle bombardait Lili de consignes idiotes : « Ne joue pas dans la boue !... Fais attention au soleil !... Remonte tes manches ! Ne marche pas sur le bas-côté du chemin !... Ne passe pas derrière les sabots du cheval !... »

Moi, ça m'épuisait de l'entendre se faire du souci à propos de tout et de rien et invoquer à tout bout de champ le diable, le bon Dieu ou la Sainte Providence. Malgré cela j'avais un petit faible pour cette femme qui était un peu collante, c'est sûr, mais qui savait faire la pâte de coing comme personne.

Lili venait souvent me retrouver et on jouait ensemble autour de la ferme ou bien c'est moi qui descendais jusqu'au zoo pour observer les fauves ou brosser les éléphants. Elle n'avait peur de rien et savait bien s'y prendre pour me pousser à faire des bêtises. Quand les beaux jours revenaient, on passait des journées entières à construire des cabanes dans l'immense amandier centenaire qui trônait au milieu de la cour.

Un jour Lili m'a entraîné dans les étages de la vieille grange. On nous l'avait interdit, mon père disait que c'était dangereux, mais elle s'en fichait. J'ai bien essayé de la faire changer d'idée mais cette gamine est butée et rien ne peut l'empêcher de faire ce qu'elle a décidé. Sa mère disait que c'était une vraie tête de mule.

Au-dessus du poulailler, on accédait aux deux autres étages : un débarras et le grenier, par une échelle vermoulue à laquelle il manquait quelques barreaux. Lili n'a pas hésité une seconde, elle est montée, et moi, bêtement, je l'ai suivie.

Dans le débarras, il y avait un invraisemblable bric-à-brac recouvert de poussière et de toiles d'araignées. Une ancienne baignoire, des outils de toutes sortes, des caisses, des valises... Chacun de nos pas faisait grincer bizarrement le plancher dans la pénombre. À tout moment je craignais de voir surgir un fantôme devant mon visage. Lili, elle, était à l'aise, comme toujours. Elle avait repéré une trappe dans le plafond qui permettait d'accéder au

22

grenier, qui communiquait avec la terrasse. Elle en voulait toujours plus.

— Hé ! Tom ! Tu sais où ça va là-haut ? m'a-t-elle demandé.

Je lui ai rappelé ce qu'avait dit Ferdinand, à savoir que c'était interdit et dangereux. Mais elle n'a rien voulu entendre.

— Interdit ! Tu parles ! a-t-elle seulement répondu.

Puis elle s'est emparée d'un énorme bidon de lait, l'a soulevé et placé au-dessus d'une pile de valises, elles-mêmes disposées sur l'assise d'une chaise à bascule. Et elle a entrepris de grimper sur l'empilement hétéroclite pour essayer d'atteindre la trappe.

— Lili, mais t'es complètement folle ! lui ai-je répété. J'te dis qu'on ne peut pas y aller, redescends !

— Si t'as peur, t'es pas obligé de me suivre, a-t-elle répondu sans se retourner.

— T'as vu sur quoi t'es montée ? Ça va tout dégringoler ! Tu vas te casser la figure, je te préviens ! Et en plus, à cause de toi, on va se faire gronder !

Je ne sais pas pourquoi je lui ai dit ça, elle ne m'écoutait même pas. Elle était là-haut, dans un drôle d'équilibre sur le couvercle du bidon, la pointe des pieds tendue, pour essayer de toucher le plafond. Il lui manquait une longueur de bras. Déçue, elle m'a dit :

— De toute façon, je peux pas l'atteindre, alors ! T'es content ?

— Arrête, t'es pas drôle !

— Parce que toi, tu te trouves drôle peut-être ! a-t-elle rétorqué, vexée.

Puis j'ai vu l'empilement instable vaciller sous ses pieds et finir par s'écrouler comme un château de cartes. Lili s'est retrouvée sur le plancher les quatre fers en l'air. J'ai eu très peur. Heureusement, les valises ont amorti sa chute.

Une fois redressée, elle m'a jeté un drôle de regard et m'a dit en se frottant les côtes :

— Même pas mal !

Juste à ce moment-là, Juliette nous a appelés pour le goûter, je me rappelle qu'on s'est vite dépêchés de descendre avant que quelqu'un nous voie. J'avais le cœur qui battait à cent à l'heure mais Lili a crié par la fenêtre, comme s'il ne s'était rien passé :

— On arrive, Juliette, on arrive !

Lili avait un culot extraordinaire. On ne pouvait jamais savoir à l'avance ce qu'elle allait inventer. Pour ça, elle tenait de son père, rien ne pouvait la toucher. Pas étonnant que cette histoire me soit arrivée avec cette fille-là.

3

La veille du jour où a vraiment commencé cette histoire, M. Lamotte avait décidé subitement de compléter sa ménagerie avec des crocodiles et avait décrété qu'il irait les capturer lui-même, en personne, sur place, en Afrique. Ce voyage n'enchantait guère Louise, qui ne s'était résignée à accompagner son mari que pour veiller sur lui, et, comme elle avait précisé : « Pour éviter qu'il ne lui ramène la Terre entière ! » En vue de l'expédition, René Lamotte avait équipé l'arrière de sa camionnette de solides cages de fer et attelé un petit voilier amateur. Leur voyage s'annonçait bien périlleux.

Quand nous sommes allés leur dire au revoir, j'ai tout de suite compris dans le regard de Ferdinand que ça n'allait pas être une partie de plaisir.

— Avec le père Lamotte, on peut s'attendre à tout, même au pire ! m'a-t-il dit.

Au moment de descendre chez eux, Ferdinand a pris sous son bras une bouée de sauvetage dans le genre de celle qu'on trouve sur les navires de croisière. Sur un côté, il avait peint en lettres majuscules le prénom de Lili – il aimait personnaliser ses cadeaux. Puis on est tous montés sur le tracteur, qui, ce jour-là, a démarré au quart de tour.

Quand on est arrivés chez les Lamotte, René nous a accueillis à bras ouverts. Ferdinand lui a tendu la bouée en disant :

— Tenez, attrapez ça, c'est toujours utile sur un bateau. On ne prend jamais assez de précautions !

— Vous êtes gentil, monsieur Ferdinand, a dit amicalement Louise. On vous revaudra ça. Et encore un grand merci, à vous et à Juliette, de garder Lili et nos animaux.

— Bah, vous parlez d'une affaire ! Entre voisins, si on ne peut pas se donner un coup de main ! a répondu mon père.

Avant de partir, Louise n'a pas pu s'empêcher

d'assommer Lili avec une liste interminable de recommandations : « Ne t'expose pas au soleil trop longtemps, couvre-toi bien la nuit, sois toujours très polie avec Monsieur Ferdinand et avec Madame Juliette, fais tout ce qu'ils te diront, pense bien à te laver les oreilles et à te brosser les dents après chaque repas, à te coiffer le matin, à te passer les mains sous l'eau avant de te mettre à table, et patati et patata... » Ça n'en finissait pas. Quand j'ai cru qu'elle avait terminé, ça a recommencé de plus belle. Au bout d'un moment, son mari lui a lancé un peu sèchement :

— Bon, maintenant ça va, elle a compris ! Et puis il faut qu'on y aille, ça va être l'heure, ma bichounette !

Alors elle s'est arrêtée net en plein milieu d'une phrase. Je crois que si M. Lamotte n'était pas intervenu, elle aurait continué toute la nuit.

On s'est embrassés tous au moins deux fois et peut-être même trois. Juliette a rassuré la mère de Lili, qui avait les joues toutes mouillées.

— Pars sans crainte, Louise, tu peux dormir tranquille, je m'occuperai de Lili comme si c'était ma propre fille !

— Oh ! Vous êtes tous si gentils, a sangloté Louise.

— Courage, ma p'tite dame, tout se passera bien, a ajouté mon père.

René a donné le signal du départ d'un coup de klaxon et Louise a couru jusqu'au camion, qui a démarré avant même qu'elle ait eu le temps de fermer la portière. Nous leur avons fait des signes jusqu'à ce qu'ils aient disparu derrière la colline. René était tellement excité de partir que nous avons entendu retentir son klaxon italien jusqu'au pont des Rigoles.

Le soir du départ, Lili n'a pas décroché un mot. L'absence de ses parents s'annonçait longue. On a respecté son silence et sa tristesse, mais au bout d'un moment elle s'est mouchée un grand coup et a réclamé de la soupe dans un demi-sourire. Moi, j'étais plutôt content de la situation car, pendant toute la durée du voyage de ses parents, j'allais l'avoir pour moi tout seul.

Lorsque nous sommes montés nous coucher, j'ai entendu mon père chuchoter à Juliette :

— Un bateau de plaisance pour ramener des crocodiles ! Ben, il est quand même gonflé le René !

4

Cette nuit-là, dans la grande mare située juste en dessous de la ferme de Ferdinand, se déroula une bien étrange cérémonie. Des grenouilles arrivèrent des quatre coins de la région et formèrent un immense rassemblement. Il régnait un brouhaha indescriptible, les bestioles papotaient toutes en même temps. Josette, la grenouille qui assurait le secrétariat de l'assemblée extraordinaire, ouvrit un grand livre et commença à faire l'appel :

— Mesdames, mesdames, s'il vous plaît !

Puis, quand le silence fut enfin revenu, elle annonça sur un ton autoritaire :

— La mare des Sapins ?

— Trente-huit, répondit une voix hésitante venant de la gauche.

— L'étang des Justices ?

— Trente-huit, pareil ! dit une autre voix venant du côté opposé.

— Le creux de la Faverie ?

— Quarante et un ! entendit-on dans les derniers rangs.

— La boutasse du père Berthier ?

— Trente-neuf !

Aucune mare ne fut oubliée. Tous les étangs, même les plus petits creux d'eau de la région furent appelés à se prononcer les uns après les autres. Puis Josette referma son livre et dit sans reprendre sa respiration :

— Et pour finir, l'étang du pont des Rigoles ?

— Quarante ! annonça l'ultime batracien d'une voix ferme et assurée.

À ce moment-là, tous les regards convergèrent vers une grenouille qui semblait être plus âgée que les autres, sans doute la doyenne. Son visage était soucieux, elle se racla plusieurs fois la gorge, visiblement émue, avant de prendre la parole :

— Mes chères amies, il n'y a plus l'ombre d'un doute. Toutes vos mesures coïncident. Elles correspondent, à un ou deux jours près, à nos propres évaluations. Ça ne fait aucun doute, il va pleuvoir pendant quarante jours et quarante nuits, à la pleine lune !

Un frisson d'effroi traversa l'assistance d'un bout à l'autre de la mare.

— C'est demain soir, la pleine lune, bégaya une grenouille.

— Oui, reprit la doyenne, la gorge serrée, la pluie sera terrible. Les rivières vont gonfler, très vite elles vont déborder, les eaux vont monter et tout recouvrir ! En quelques jours on va assister à une inondation générale terrifiante ! Tout sera noyé sous les eaux qui ne cesseront de monter, de monter, de monter... Vous entendez ! Ça va être un nouveau déluge !

— Dieu du ciel !

Venant de la ferme toute proche, on pouvait entendre la voix joyeuse de Ferdinand qui chantait un air de marin en s'accompagnant à la guitare.

— Vous entendez ? fit remarquer une grenouille.

— Ah misère, ils ne se doutent de rien, les pauvres !

— C'est épouvantable ! Ils vont mourir, comme tous les autres !

— Est-ce qu'on pourrait au moins essayer de les prévenir ?

— Mais comment veux-tu qu'ils nous croient, on n'est que des grenouilles !

5

Le lendemain matin, avec Lili, on est allés dans le champ de pommes de terre observer ce que mon père appelle ses pires ennemis : les doryphores. Rien n'annonçait que ce jour allait être exceptionnel. Comme d'habitude Lili avait ramené ses cheveux en une grosse touffe crépue au-dessus de sa tête. Ça lui donne un air espiègle et une dégaine d'aventurière. Quand je me suis accroupi à côté d'elle pour observer de près les plantations, son bras a frôlé le mien, et ça m'a fait monter une drôle de chaleur dans les joues. C'était la première fois que je ressentais une chose pareille.

Mais revenons aux doryphores. Ces insectes ravageurs s'étaient mis à pulluler autour de chez nous. Mon père appelle ça la « vermine des patates », et tous les matins il passait près d'une heure à quatre pattes dans le potager pour les éliminer. Ce jour-là, après son incursion, on s'est amusés à chercher les survivants. Lili en avait repéré deux qui faisaient l'amour sur une feuille. Enfin, c'est ce qu'elle prétendait. À l'époque, je ne savais pas ce que ça voulait dire et Lili s'était bien gardée de me donner des détails. Quand on s'est penchés sur les amoureux, l'un des deux insectes s'est envolé lourdement. On l'a suivi des yeux pour voir où il se dirigeait. Son escapade a été stoppée net par la langue collante d'une grenouille embusquée derrière un plant de pommes de terre. Lili a protesté :

— Mais, t'es pas gênée, toi ! C'est pas ton doryphore, d'abord !

La grenouille a fait un bond de côté. On s'est approchés d'elle à pas de chat, mais au moment où j'allais l'attraper, elle s'est élancée à nouveau et m'a échappé de peu. Je l'ai vu se glisser derrière la barricade qui limitait le potager. Elle s'est retournée et j'ai eu comme l'impression qu'elle allait nous dire : « Jamais vous ne m'attraperez ! »

Elle nous narguait avec ses yeux globuleux. Moi,

ça m'a énervé et j'ai sauté par-dessus la barrière d'un seul mouvement. La bestiole a réagi très vite. Quand j'ai été sur elle, elle avait déjà détalé pour se réfugier dans des hautes herbes. Au même moment, deux nouvelles grenouilles ont bondi, l'une à ma gauche, l'autre à ma droite. Le temps d'hésiter, trois autres avaient surgi de je ne sais où. J'ai bientôt été entouré d'une véritable bande qui s'est dirigée en sautillant dans un grand désordre vers le talus qui descendait de façon abrupte. Je leur ai emboîté le pas mais elles ont pris de la vitesse et, avec la pente qui s'accentuait, j'ai progressivement perdu l'équilibre et le contrôle de mes jambes. Ma course s'est terminée lamentablement en plein milieu de la mare au bas du talus.

Autour de moi, des centaines de grenouilles ont aussitôt fait surface et m'ont regardé d'un air bizarre.

— Oui, ben, j'suis tombé, c'est tout !

L'une d'elles m'a gentiment demandé :

— Tu t'es pas fait mal ?

— Non, ça va ! ai-je répondu machinalement.

Mon interlocutrice a paru soulagée.

— À la bonne heure !

Je me suis soudain rendu compte qu'une grenouille venait de s'adresser à moi, dans ma langue, en français ! Ça m'a fait l'effet d'une gifle. Je me suis retourné brusquement.

— Qu'est-ce que vous avez dit là ?

— *À la bonne heure !* Enfin, j'crois ! a-t-elle répondu, avec un air hébété.

— Non ! Vous parlez ! ?

— Ça t'étonne ?

— Ben oui, un petit peu ! c'est la première fois que j'entends parler une bête. Dites encore quelque chose, pour voir, ai-je demandé.

— Tu veux que je récite la fable *La Grenouille et le Bœuf,* c'est ça ?

Les autres grenouilles se sont mises à pouffer de rire et moi je me demandais si je n'étais pas en train de rêver. J'aurais bien voulu que Lili soit là pour me pincer mais elle était restée en haut du talus. Alors je me suis redressé et j'ai couru à toutes jambes jusqu'à elle. C'était trop extraordinaire ! En partant j'ai encore entendu une grenouille me crier :

— Attends, attends bonhomme !

La doyenne des grenouilles était verte de colère, elle s'est mise à sermonner l'assistance avec vigueur.

— Alors ça, c'est malin, vous lui avez fait peur !

— Je voulais seulement détendre l'atmosphère ! a répondu celle qui s'était adressée à Tom.

— Eh bien, c'est réussi ! a rétorqué la doyenne.

— Oh là là ! si on ne peut plus rigoler !

— Ça suffit ! L'heure est grave, je vous le rappelle. Il en va de la vie de ce garçon et de sa famille.

Puis, désignant deux grenouilles placées au bord de la mare, la doyenne des grenouilles a ajouté :

— Vous deux, allez voir où il est passé !

Ça n'a pas été facile de convaincre Lili de me suivre. J'ai dû la tirer par le bras pour être sûr qu'elle me suive jusqu'à la mare.

— Arrête, Tom ! Arrête tes bêtises !

— Attends, tu vas voir ! Je te dis qu'elles parlent, je les ai entendues.

— Mon pauvre Tom ! m'a-t-elle lancé en levant les yeux au ciel comme elle savait si bien faire.

Quand nous sommes arrivés aux abords de la mare, on aurait dit que les grenouilles avaient toutes la bouche cousue. Elles nous regardaient avec leurs gros yeux ronds, sans bouger. Je me suis penché vers la première :

— Dites quelque chose, sinon elle va croire que je suis un menteur !

La grenouille qui avait la voix la plus grave s'est enfin décidée à prendre la parole :

— Je comprends votre étonnement. C'est toujours une surprise pour les humains d'entendre parler les animaux, cependant, c'est comme ça, on parle ! Mais... c'est pas ça qui est important...

En l'entendant, je n'ai pas pu m'empêcher de me retourner vers Lili pour lui dire, assez satisfait de moi :

— Ah, tu vois ! Qu'est-ce que je te disais !

Lili, sans se démonter, m'a répliqué avec un naturel déconcertant :

— Oui, ben ça va, elle parle !

— Écoutez-moi, les enfants, a repris solennellement la vieille grenouille, j'ai quelque chose de très important à vous dire ! Il se prépare une terrible catastrophe ! Il n'y a pas l'ombre d'un doute, la pluie va tomber pendant quarante jours et quarante nuits sans s'arrêter, et tout recouvrir ! Ce sera un nouveau déluge ! Pour nous, ce n'est pas grave, mais vous, si vous ne faites rien très vite, vous allez tous mourir !

Un frisson m'a traversé le corps.

— Mourir ? Nous ? a gémi Lili.

— Oui, vous et tous les autres ! Les eaux du déluge vont engloutir les animaux, les arbres, les fermes, les villes entières ! Elles monteront plus haut que les plus hautes montagnes !

— Tu veux dire, jusqu'au ciel ? lui ai-je demandé.

— Jusqu'au ciel ! Tout sera noyé ! Il n'y a pas une minute à perdre !

— Mais qu'est-ce qu'on peut faire ? a imploré Lili.

La grenouille a réfléchi un temps et a haussé les épaules en grimaçant.

— Alors là, aucune idée ! On est seulement des grenouilles ! On a des connaissances en météo, mais c'est tout. Maintenant, c'est votre affaire !

Ç'a été sa dernière phrase. Lili s'est levée et a tourné les talons.

— Faut qu'on prévienne ton père et ta mère ! Allez, viens Tom !

J'aurais voulu bouger, lever la tête, me redresser pour suivre Lili, mais mon corps ne répondait pas. Je suis resté immobile, comme hypnotisé, fixant désespérément les grenouilles qui disparaissaient une à une au fond de la mare.

Lili est revenue et a dû me secouer pour me faire sortir du brouillard dans lequel j'étais plongé.

— Allez, viens, j'te dis, tu peux pas rester là ! Il faut qu'on prévienne tes parents ! Dépêche-toi !

Alors nous avons grimpé la pente et couru à

perdre haleine jusqu'à la ferme. Nos deux cœurs battaient la chamade. Ce que venait de nous dire la doyenne des grenouilles m'avait glacé, c'était quelque chose d'inimaginable, de terrible...

Et puis le soleil a disparu derrière l'horizon.

6

Juste avant qu'on atteigne la cour de la ferme, soudain, on a ressenti comme une sorte de vibration inquiétante. L'atmosphère avait subitement changé de nature. Le chien tournait sur lui-même, affolé, les cochons tremblaient nerveusement, et même les abeilles se précipitaient en se bousculant vers l'intérieur de la ruche... C'était étrange, effrayant. Était-ce déjà le début de la prédiction des grenouilles ?

En déboulant dans la cour, on a croisé mon père qui courait dans l'autre sens. J'ai essayé de l'arrêter pour l'avertir et lui dire ce qu'on venait d'apprendre mais il ne m'a presque pas écouté, il a seulement grogné « Je sais, c'est terrible ! » avant de s'engouffrer dans la grange. Nous, on s'est précipités sur Juliette pour nous blottir sous son boubou. « Juliette ! Juliette ! »

Un puissant courant d'air s'est subitement levé. Les volets et les portes se sont mis à claquer. Puis un formidable hennissement a déchiré la nuit tombante. Les lourdes portes de la grange se sont ouvertes avec une violence inouïe. Ferdinand a jailli hors du bâtiment sur le dos de son percheron, à même le poil.

Je ne l'avais jamais vu faire une chose pareille. Ils ont dévalé la colline à toute allure et sauté par-dessus la mare en bas de chez nous avant de disparaître dans la forêt. Avec Lili, on s'est regardés. On ne comprenait pas ce qui était en train de se passer. Je sentais que c'était grave. Juliette avait la tête tendue vers le ciel et les yeux écarquillés, elle s'était mise à faire des bruits bizarres avec sa langue en poussant de temps en temps des cris très aigus. J'ai essayé de tirer sur son bras, mais c'était comme si je n'existais pas, elle était ailleurs.

Le vent a redoublé d'intensité, poussant au-dessus de la ferme de gros paquets de nuages noirs. Tout le linge qui séchait sur l'étendage s'est envolé d'un seul coup par-dessus la maison et plusieurs rangées de tuiles, soulevées et balayées par une bourrasque impressionnante, ont dégringolé du toit et sont allées s'écraser par terre, juste devant nous. Le ciel a pris une teinte anthracite. Le tonnerre a grondé au loin puis un éclair a soudain claqué tout près de la maison, provoquant une gerbe d'étincelles en haut du dernier poteau électrique. Une goutte, lourde comme une pierre, a frappé le sol poussiéreux. Puis deux, puis trois...

Et brutalement, la cour s'est mise à crépiter de mille petits coups secs. L'odeur aigre et poivrée de la terre mouillée m'est montée dans les narines. Comme Juliette et Lili, je suis resté bêtement sous la pluie. C'était comme une douche, l'eau me dégoulinait de partout mais je ne pensais même pas à me mettre à l'abri. Ma mère était tendue, je sentais son corps tout dur sous ma main, elle hurlait en direction du ciel, comme un loup. Je ne me souviens pas combien de temps nous sommes restés là, presque immobiles, accrochés à sa taille. Et puis soudain elle s'est mis à tourner sur elle-même et nous avons tourné avec elle, emportés par son élan. J'avais du mal à respirer, mal à la tête, mal au cœur...

Ferdinand chevauche comme un désespéré à travers la forêt obscure. Il exhorte son cheval à se dépasser, il le pousse à aller encore plus vite en lui aiguillonnant les flancs avec les talons, gigotant comme un pantin sur la selle, fouettant l'animal à grands coups de casquette, haletant et jurant. La bête ruisselante écume, fume, hennit et hurle sa douleur. Ses sabots touchent à peine le sol imbibé d'eau. Arrivé au cœur de la forêt, le couple homme-cheval déboule au grand galop dans la clairière du Paradis. Ferdinand se penche et attrape une longueur de rênes. Il tire brusquement sur le cuir en projetant ses épaules en arrière. Son geste puissant provoque l'arrêt brutal du cheval, qui se cabre à la verticale sous la terrible impulsion, dans un dernier et inimaginable hennissement. La lune se dégage un instant, se glissant au travers des nuages épais, et inonde de sa clarté laiteuse le visage décomposé d'un Ferdinand hors d'haleine.

Ferdinand est comme pénétré de sa lumière. Alors, doucement, imperceptiblement, la lune se met à enfler, elle se gonfle comme un ballon de baudruche et devient démesurément grande, triomphante, magnifique dans le ciel un instant dégagé. « Voilà l'idée ! Eurêka, j'ai trouvé ! » hurle Ferdinand. Son cri de joie résonne d'un bout à l'autre de la forêt, magistral.

*
* *

Sur la colline Juliette se relâche enfin, s'accroupit et prend les deux enfants dans ses bras. « Tom, Lili, comme je vous aime ! »

*
* *

Nous sommes restés plantés au milieu de la cour jusqu'au retour de Ferdinand. Le jour commençait tout juste à se lever quand mon père est ressorti de la forêt. Ça a été comme un grand soulagement. Il a sauté de cheval en pleine course et nous a crié :

— Il n'y a pas une minute à perdre, venez m'aider ! Juliette, ramasse tout ce qui peut te paraître important. Vite, vite !

Puis il s'est précipité dans la vieille grange et en est ressorti avec la chambre à air qu'il venait tout juste de réparer, dans l'autre main il tenait la pompe à pied. En revenant, il m'a lancé le gonfleur dans les bras et il a contourné le bâtiment. Puis il a ouvert les deux volets de bois qui fermaient la cave. D'un bond, je l'ai vu disparaître par l'ouverture, entraînant la chambre à air. Je lui ai tendu l'embout du flexible, qu'il a raccordé à la valve. Sans perdre de temps, j'ai commencé à actionner la pompe, je poussais de toutes mes forces. Quand Ferdinand est ressorti du trou, il a pris ma place. Mais rien n'y faisait, à chaque coup de pompe on entendait l'air siffler à travers la valve, le raccord fuyait. Je me suis penché pour mieux voir.

— Alors ça gonfle ? a questionné Ferdinand.

— Un petit peu ! Mais pas tellement !

Il a redonné encore plusieurs coups de piston puis il s'est arrêté en rouspétant.

— Ah, bon sang ! C'est bien le moment ! Y a un problème, c'est sûr ! Y a pas à tortiller, ça veut pas gonfler !

C'est là que j'ai vu Lili déguerpir en courant. À son air, j'ai tout de suite compris qu'elle avait une idée.

Juliette a massé les épaules de Ferdinand et mon père a repris la pompe avec une vigueur retrouvée.

— Maintenant, faudra que ça gonfle ou que ça dise pourquoi !

Moi, je serrais la valve bien fort pour essayer de

réduire les fuites. Mais c'était comme s'il y avait un bouchon, l'air ne pénétrait pratiquement pas.

— Ah, c'est pas vrai, cette pompe de malheur !!! Y a rien à faire ! a grommelé Ferdinand qui avait maintenant soulevé sa casquette et se grattait le haut du front d'un geste d'impuissance.

Sur ces entrefaites, Lili était de retour, à cheval sur un des éléphants du zoo. Elle nous a lancé en riant :

— Vous voulez essayer ma superpompe ?

L'énorme animal a dressé sa trompe et poussé un barrissement joyeux. Mon père a secoué la tête, froncé les sourcils et remonté le menton.

— Pourquoi pas ? On va essayer !

L'éléphant a attrapé la valve avec sa trompe et s'est mis à souffler à pleins poumons. Cette fois-ci, le boudin s'est soulevé convenablement. Ferdinand a tout de suite retrouvé le sourire.

— Allez, encore ! Il faut le gonfler au maximum !

La chambre à air a débordé de la trappe en faisant une énorme boursouflure. Ferdinand s'est laissé carrément tomber par-dessus pour compresser le renflement à l'intérieur pendant que le pachyderme donnait tout ce qu'il pouvait.

— Mais t'es fou, ça va exploser ! ai-je dit à Ferdinand.

— Non, non ! Ça tiendra ! C'est du costaud, ce matériel, c'est du Bibendum, on peut y aller ! Reculez-vous, on va bien voir. Vas-y, mon gros, mets-y le paquet !

La scène devenait complètement surréaliste. La tête de l'éléphant était écarlate à force de souffler. La grange craquait et vacillait. La chambre à air s'était tendue avec une telle force que, depuis la cave, elle avait réussi à soulever les parois de l'édifice, débordant par-dessous les murs sous l'effet des puisantes poussées répétées du pachyderme-gonfleur. Et tout d'un coup, avec un fracas inimaginable, elle a jailli littéralement vers l'extérieur, ceinturant de son boudin énorme la base du bâtiment tout entier.

Je garderai toujours un souvenir inoubliable de ce moment de joie où Ferdinand a sauté en l'air, claquant les deux talons de ses bottes à un mètre du sol, et est retombé joyeusement sur son derrière en riant aux éclats. Juliette s'était mise à lancer des youyous stridents pendant que Lili félicitait le héros du jour en chuchotant dans son énorme oreille.

— Voilà ce qui va nous sauver du déluge, les enfants : la nouvelle « Arche de Noé » !

— Tu veux dire que ça pourrait flotter ? lui ai-je demandé.

Ferdinand n'a rien répondu mais Juliette a dit :

— Il est fou, mon bonhomme, pourtant je suis sûre que ça va marcher !

Cette histoire nous avait presque fait oublier la pluie, qui n'avait cependant cessé de tomber. On avait déjà de l'eau jusqu'aux mollets et, quand je me suis retourné, j'ai vu que la vallée était complètement inondée. Fuyant l'inondation, les animaux du zoo étaient tous montés jusque chez nous et, dans leurs regards, on lisait un immense effroi.

Ferdinand a grimpé sur la passerelle et s'est adressé à tous d'une voix à la fois calme et autoritaire :

— Bon, voilà, vous allez pouvoir vous réfugier ici. Mais attention, croyez-moi, ça ne va pas se faire dans le désordre. Je vous demande de laisser monter les plus petits d'abord et de circuler calmement, chacun aura une place.

Tous les animaux, ceux de la ferme et ceux du zoo, l'ont écouté sans broncher, mais quand il a donné l'ordre de monter dans le bateau, ils se sont tous précipités en même temps dans une bousculade innommable. Ç'a été l'anarchie la plus totale. Finalement, après une pagaille indescriptible, quelques coups de griffes et de sabot et des salves de jurons proférés par Ferdinand complètement débordé, chacun a fini par trouver une place dans les deux derniers étages et même sur le toit.

Quand tous les animaux ont été à l'abri les deux éléphants ont gravi à leur tour la passerelle et se sont serrés dans le poulailler au premier étage, qui était tout juste assez vaste pour les accueillir. Mon père a refermé les deux battants de la porte du rez-de-chaussée et les a bloqués à l'aide d'un chevron placé en travers. Puis on est montés sur la terrasse par l'échelle extérieure.

En haut, Ferdinand a fait le point de la situation.

— Bon, tout le monde est là ? On n'oublie personne ? Parce qu'à partir de dorénavant, ça sera plus comme avant ! Vu l'état du ciel, je crois que ça va dégringoler sérieusement !

Mon père était tendu, il a secoué sa casquette pleine d'eau, levé la tête vers le ciel et a repris :

— Il n'y a plus qu'à espérer une seule chose, les amis. C'est que ce fichu rafiot tienne le coup !

J'aurais bien voulu comprendre ce qui nous arrivait. Notre petit monde si douillet était en train de fondre sous les trombes du déluge et nous restions là, impuissants, à contempler le désastre, quand j'ai aperçu une forme bouger au pied du bateau. J'en ai bégayé d'émotion :

— Grand-père, Grand-père, Ju-ju-ju-liette, en... en bas ! On l'a oubliée !

7

J'ai cru que mon père allait s'étouffer.

— Bon sang de bonsoir, mais qu'est-ce qu'elle fait dehors ? Enfin, tu ne vois pas que l'enfer est en train de se déverser sur nos têtes !

Juliette était plantée au milieu de la cour, sans nous prêter la moindre attention. Bien campée sur ses deux jambes écartées, les bras tendus vers le ciel, elle s'efforçait de résister à la violence du vent et criait des formules incompréhensibles en pointant d'un geste vengeur son parapluie en direction du ciel. Il semblait qu'elle cherchait à défier les éléments qui déferlaient sur nous.

Ferdinand bouillait sur place.

— Juliette, mais qu'est-ce que tu fabriques ?
Sacré bon sang de bonsoir ! Mais ça va pas, non !
Tu vas te faire emporter ! Tu m'entends ? C'est pas
le moment de faire l'andouille, nom d'un chien !

— Mais elle ne fait pas l'andouille, c'est de la
magie ! lui a dit Lili.

Mon père s'est frappé la tête du plat de la main.

— Oh ! yo-yo-yo-yo ! Manquait plus que ça !

Au sol, Juliette s'en prenait aux éléments avec
une rage que je ne lui connaissais pas. Elle tremblait de tout son corps, pataugeant dans la boue.
Ses invectives étaient accompagnées de grands
gestes ; les doigts tendus, tétanisée, elle rejetait sa
tête en arrière comme une folle. Brusquement, une
étrange boule de vent s'est abattue sur Juliette et
s'est enroulée autour d'elle comme un typhon. Elle
a combattu l'agresseur à grand renfort de mouli-
nets de parapluie et de coups de pied. Tantôt le
vent prenait le dessus et faisait plier ma mère, tantôt c'était elle, soudain grandie, qui, dans un sursaut d'énergie, parvenait à repousser son adver-
saire. Lorsque le tourbillon se sentait dominé, il
piquait une rage folle, s'élançait dans les airs en
émettant des sifflements diaboliques, puis, comme
animé d'une hargne toute neuve, fondait à nouveau
sur sa proie.

Avec Lili, on était scotchés à la fenêtre. Dans l'embrasure de la porte, Ferdinand mimait le combat. Il frappait le vide avec ses poings nus, encourageant Juliette lorsque celle-ci semblait plier, exultant lorsqu'elle dominait son rival.

Soudain, la tempête s'est engouffrée sous le parapluie de Juliette et en a retourné les baleines. Vexée, ma mère a fouetté la boue avec son pépin déstructuré, contrainte à abandonner ce combat inégal. Ça m'a fait comme un coup au cœur.

— Bon, c'est pas le tout ! a dit Ferdinand en disparaissant à l'intérieur du bâtiment.

Nous l'avons entendu fouiller bruyamment dans le bric-à-brac du grenier, puis il en est ressorti, portant sur sa tête l'ancienne baignoire qui avait été remisée là. Mon père a noué une corde autour de l'objet saugrenu et l'a accrochée à une énorme poulie pendue à l'extérieur. Grâce à son ingéniosité, il avait transformé le dispositif de palan en ascenseur. Il a fait glisser la corde avec précaution jusqu'à ce que la baignoire touche le sol.

— Grimpe, Juliette ! On va te remonter !

Juliette a enjambé la cuve écaillée. Un loup, un renard et un ours, qui attendaient au pied de la grange, en ont profité pour grimper par la même occasion. On s'est mis à tirer de toutes nos forces sur la corde pour faire remonter la baignoire.

C'était effroyablement lourd ! Heureusement, les carnivores les plus costauds sont venus nous prêter main-forte et la poulie s'est mise à tourner.

Ferdinand a accueilli ma mère en la serrant convulsivement dans ses bras. Ils dégoulinaient tous les deux de larmes et de pluie.

— Tu vas m'étouffer, Ferdi ! a protesté gentiment Juliette.

— Tu m'as fichu une de ces trouilles, Juliette ! Tu crois que c'est le moment de faire tes... tes simagrées ? Franchement, tu as beau y mettre tout ton cœur, ta magie, ça ne marchera jamais !

— J'ai voulu essayer Ferdi, on ne sait jamais !

— N'empêche que tu as été magnifique, superbe ! lui a rétorqué Ferdinand. Il ne pouvait rien faire contre toi, tu es la plus forte. Je t'aime Juliette ! Allez, viens te mettre à l'abri !

Maman a chuchoté un truc comme : « J'aurais tant voulu faire quelque chose ! »

Au-dessus de nous, un éclair a déchiré la nuit de part en part et les écluses du ciel se sont ouvertes toutes grandes. La pluie torrentielle estompait toute chose. On devinait par intermittence les autres bâtiments de la ferme, illuminés par les flashs des éclairs. L'eau se répandait partout. Ça n'a bientôt plus été qu'une seule et même étendue d'eau.

Lili a fondu en larmes contre la poitrine de Juliette. Pour ma part, je n'en menais pas large. Des images fugitives de ma petite enfance s'affichaient devant mes yeux. Des flammes, des explosions, des cris de détresse, des blessés sur des civières et mes vrais parents fuyant devant les bombes de cette guerre qui m'avait miraculeusement épargné. Ils me tendaient les bras mais je ne pouvais les atteindre et leur image s'estompait petit à petit dans le feu des tirs.

Et tout à coup m'est revenu en mémoire le bonheur de nos expéditions nocturnes. Chaque 14 Juillet, avec nos voisins, nous partions à la pêche aux grenouilles. L'expédition débutait après la tombée de la nuit, à la lampe de poche et dans le silence absolu. René Lamotte dirigeait les opérations pendant que le facteur surveillait les gendarmes. Et bien sûr Lili nous accompagnait. Il fallait une bonne demi-heure pour que son père puisse enfiler les cuissardes qu'il avait acquises spécialement pour l'occasion. Elles lui montaient jusqu'au menton. Le moment venu, nous arpentions les chemins de la commune pour écumer la totalité des étangs, méthodiquement, les uns après les autres, de la Faverie au pont des Rigoles en passant par la Place. Au moindre bruit suspect, nous devions éteindre les lampes et nous tapir dans l'ombre. Chaque fois, j'avais le cœur qui s'emballait. Pour attraper les grenouilles, c'était un jeu d'enfant. Lorsqu'on avait repéré un batracien, on s'approchait en silence, le plus lentement possible en lui braquant la lumière dans les yeux. Avant que la bestiole ne comprenne ce qui lui arrivait, on l'attrapait comme une mouche, d'un coup sec, et hop ! dans le sac.

— J'en ai une !

— Chut ! répondait l'écho.

René Lamotte s'aventurait toujours trop loin. Invariablement, il finissait par déraper et s'affalait au beau milieu de la mare. Nous étions pris d'un fou rire général. Ferdinand rattrapait le noyé, le soulevait et le retournait la tête en bas pour vider l'eau retenue à l'intérieur de ses cuissardes. Le bon temps, quoi ! Pourquoi me suis-je souvenu de cette histoire dans un moment pareil, je me le demande encore.

Un éclair plus fort que les autres m'a tiré de mes songes. Je me suis protégé en levant les bras comme si le plafond allait s'écrouler sur moi. Les déflagrations projetaient des ombres cauchemardesques sur les parois de la grange. J'avais l'impression que les planches des murs s'était mises à bouger entre elles, le bruit était atroce. Ça grinçait. Ça craquait. Ça se tordait... Mon père ne cessait de consolider les murs de la grange à grands coups de marteau et disposait toutes sortes de récipients pour récupérer les gouttières.

Nos regards étaient tous tournés vers le haut de l'édifice, qui vibrait salement. Est-ce que la structure allait résister ?

J'entendais Ferdinand marmonner, prostré :

— Tiens bon !... Tiens bon !... Tiens bon !... Tiens bon !...

Les bruits de craquement et de grincement se sont amplifiés. On avait l'impression que le bâtiment allait se disloquer d'un instant à l'autre. L'eau ne cessait de s'élever et commençait à s'infiltrer au travers des parois. On ne pouvait rien faire. C'était terrifiant. On était sur le point d'être engloutis !

Et puis, tout à coup, on a été emportés dans un déchirement inimaginable, le sol s'est mis à vibrer et la grange s'est extirpée en hurlant. La formidable poussée de l'eau nous a entraînés avec elle au-dessus des flots.

À l'intérieur, ç'a été la débandade, la panique. C'était comme si le sol s'était dérobé. La grange a plongé d'un côté puis de l'autre, s'est inclinée dangereusement, puis est revenue par un nerveux mouvement de balancier dans le sens inverse. Ballottés dans tous les sens, nous roulions les uns sur les autres. Ça criait, ça rugissait, ça fulminait, ça ululait, ça jurait et ça pleurait.

Malgré la terrible secousse, l'Arche est parvenue à retrouver l'équilibre sans se fracasser. La bouée s'est mise alors à jouer son rôle de flotteur. Vue de loin, notre curieuse embarcation de fortune devait paraître bien misérable, secouée sans ménagement entre un ciel déversé et la terre inondée.

Ferdinand nous a pris tous les trois dans ses grands bras.

— C'est l'apocalypse ! C'est l'apocalypse ! a-t-il clamé.

On n'était pas au bout de nos peines, le vent s'est levé en tempête. Éclairs et coups de tonnerre se sont enchaînés. Chaque déflagration était plus exorbitante que la précédente. Les vagues frappaient notre grange par gros paquets, comme des coups de bélier.

Bondissant sur elle-même de plus belle, la tempête n'en finissait pas de nous matraquer. Je ne sais pas comment nous trouvions encore la force de résister aux soulèvements brutaux qui nous emportaient dans les airs. C'était comme sur les montagnes russes à la vogue du pont des Rigoles le

14 Juillet, sauf que là, la peur n'était pas un jeu. C'était horrible.

Cent fois l'Arche a été engloutie, cent fois elle a rejailli comme un bouchon des profondeurs de l'enfer. Puis tout a basculé et j'ai perdu connaissance.

deuxième partie

SEULS
AU MILIEU
DES EAUX

Je ne sais pas combien de temps a duré mon état
d'inconscience mais ce dont je suis sûr c'est que,
lorsque je me suis réveillé, je souffrais de la tête aux
pieds, j'ai eu l'impression d'avoir été battu, talé de
tous les côtés. J'avais un mal de ventre terrible,
c'était comme si mon corps me tirait de l'intérieur.
J'ai bien mis un quart d'heure avant de pouvoir
bouger les paupières. Quand j'ai entrouvert les
yeux, ça a été pour découvrir une scène épouvantable : autour de moi, il n'y avait que des corps sans
vie, un champ de bataille, une vision d'horreur.
Tout le monde était mort ; j'étais comme pétrifié,

je n'ai même pas réussi à pleurer. Je me revoyais descendre en courant le pré en bas de chez nous avec la main de Lili dans la mienne, et je pensais que plus jamais je ne revivrais un tel bonheur. Que plus jamais je ne monterais sur les épaules de Ferdinand, et que plus jamais je ne m'endormirais dans les bras de Juliette. Pourquoi tout ce malheur me tombait-il dessus ?

Soudain, derrière moi, j'ai entendu un grincement. C'était Ferdinand qui ouvrait les volets. Le soleil est entré dans le débarras où je me trouvais. C'était aveuglant. Je n'ai même pas eu la force de parler à mon père. Étions-nous les deux seuls survivants ? J'ai tendu le bras vers Lili pour la secouer : sa main était tiède. Alors enfin j'ai soufflé, tout n'était pas perdu ! Et puis, les uns après les autres, chacun a recouvré ses esprits. Juliette a esquissé un vague sourire en se frottant les côtes.

Quand Lili s'est étirée en gémissant, que je l'ai vue bouger, revivre, j'ai pensé que tout ce que nous venions de subir n'avait peut-être été qu'un affreux cauchemar.

Ferdinand s'est retourné, et après avoir essuyé avec le dos de la main une larme au coin de son œil, il nous a dit :

— À la bonne heure ! Vous êtes tous sains et

saufs ! On s'en est sortis ! L'enfer du ciel s'est enfin rendormi !

Il a palpé son énorme estomac qui faisait un drôle de bruit.

— Reste que... Je ne sais pas si vous êtes comme moi, mais...

Lion lui a répondu du tac au tac :

— Ça, on peut le dire !...

Vache s'est aussitôt mise à meugler :

— Je meurs de faim ! Quand est-ce qu'on mange ?

— Et moi, j'ai l'estomac dans les talons ! a ajouté Cheval.

Puis un des frères Cochon a supplié Ferdinand :

— Quarante jours l'estomac vide ! Faut l'faire quand même, Capitaine !

Cette dernière phrase a décidé Ferdinand. Son œil s'est mis à pétiller. Il s'est raclé la gorge et a dit en prenant un air mystérieux :

— Message reçu, les amis ! On va s'occuper de vous ! Bon ! Je vous préviens, faudra pas vous attendre à des merveilles. Cependant, on a ce qu'il faut sur ce rafiot pour tenir le coup. Vous allez voir, allez... Reculez-vous un peu ! Attention ! Reculez...

On s'est tous plaqués au fond de la pièce. En même temps qu'il parlait, Ferdinand s'est emparé d'une fourche et l'a plongée entre les deux battants de la trappe du plafond, celle qui avait tant intrigué Lili. À force de secouer la fermeture, la trappe s'est décrochée et une montagne de pommes de terre a dégringolé avec fracas sur le plancher. Mon père est parti d'un éclat de rire magistral.

— Ah ! Ah ! Ah ! C'est pas joli, ça ? Vingt-huit tonnes de patates ! Vingt-huit tonnes !

Les frères Cochon ont plongé dans le tas de tubercules en frétillant de la queue. Ils pleuraient de joie.

— Youpi ! Des patates ! Des patates ! Des patates !

Puis Ferdinand nous a distribué des couteaux et des économes et on s'est tous mis à éplucher les pommes de terre.

Pendant la corvée de pluche, j'ai surpris une curieuse conversation entre Lion et Renard qui bavardaient adossés à la balustrade de la terrasse.

— J'en reviens pas ! a dit Lion, on doit notre survie à une chambre à air de tracteur !

Renard avait l'air absent. Il contemplait la pomme de terre qu'il était en train d'éplucher, égaré dans ses pensées :

— Mais dis donc, tu crois qu'on va arriver à manger ce truc-là ? Des patates, qu'il a dit le vieux !

— Bon ! C'est sûr ! Ça vaut pas un bon cuissot

de gazelle ! Mais moi, tu vois, j'ai tellement faim, que j'boufferais des briques !

— Ouais, ben, si tu l'dis ! a répondu Renard en faisant la moue.

Puis il a croqué à belles dents dans la pomme de terre qu'il venait tout juste d'éplucher. Ça l'a drôlement surpris et il a tout recraché en grimaçant :

— Oh purée ! C'est dégoûtant ce machin ! Pouah !

— Mais attends, attends ! Il faut les faire cuire ! lui a dit Lion.

— Ah bon ! Les faire cuire ?

J'ai vu Lion le regarder avec un air goguenard :

— Mais dis donc, d'où tu sors, toi ?

Renard s'est vexé et il a pointé violemment son couteau en direction de son compère.

— Eh ben ! Si on te l'demande, tu diras que t'en sais rien, d'accord ?...

— Bon, ça va, ça va ! a répondu Lion en faisant son possible pour calmer le jeu.

Alors qu'il ramassait sa pomme de terre qui, dans le feu de l'action, avait ripé sur le plancher, j'ai vu Renard croiser le regard des frères Cochon qui lavaient des pommes de terre dans un seau, un peu plus loin.

— Dis donc, t'as vu les deux petits jambonneaux derrière nous, là ? a ricané sournoisement Renard.

L'intention était claire. D'où j'étais, j'ai bien compris dans le regard des frères Cochon que ça n'allait pas être de la tarte avec les carnivores.

— J'sais pas comment ça va s'passer avec eux ! a chuchoté en tremblant celui qui était le plus près de moi.

— Faudra s'méfier, c'est sûr !

— Comment va-t-on faire cuire toutes ces pommes de terre ? ai-je demandé à Ferdinand.

Après s'être gratté la barbe un bon moment, il m'a répondu :

— Est-ce que tu aimes les frites, bonhomme ?

Quelle question ! Si j'aime les frites, bien sûr, j'adore ça ! Mais est-ce qu'on avait de quoi les cuisiner ? C'était sans compter avec l'instinct bricoleur de mon père.

— Ne bouge pas, fiston, je vais chercher la friteuse !

Si je vous dis que Ferdinand s'est alors mis en

tête de transformer la baignoire en chaudron, vous n'allez pas me croire. Et pourtant, c'est ce qu'il a fait. Il a suspendu l'ancien abreuvoir à la poulie de la grange et a demandé aux éléphants de maintenir une lampe à souder, qui brûlait à pleins gaz, juste en-dessous. Équipée de ce chalumeau, la baignoire est devenue une énorme friteuse familiale.

Pendant que Juliette versait le contenu des premières bassines de frites dans l'huile bouillante, j'ai vu Lion s'approcher de Ferdinand :

— À propos, Capitaine ! Les frites, pour les herbivores, c'est bien pour eux, ils sont contents... mais pour nous les carnivores, et surtout pour les fauves... Euh... enfin...

Lion avait de la peine à exprimer ce qu'il avait sur le cœur. Il regardait Ferdinand un peu en biais, il était gêné. À ses côtés, Renard, qui trépignait d'impatience, n'a pas pu se retenir :

— Oui bon, enfin ! Y'a quelque chose d'autre de prévu pour nous ?

Ferdinand leur a fait un geste pour qu'ils prennent patience et il s'est dirigé vers l'endroit où il avait déposé sa guitare.

— Pour tout vous dire, je m'attendais à cette question ! Écoutez plutôt...

Il a alors attrapé le manche de son instrument qui n'avait apparemment pas trop souffert du déluge et est allé s'installer sur un coffre qui se trouvait derrière lui. Là, après avoir accordé sa guitare, il s'est mis à chanter. Il fallait voir la tête qu'a fait Renard, il s'attendait à tout sauf à ça, le pauvre. Comme les autres, je me suis arrêté d'éplucher pour mieux l'écouter.

En face du loup, l'agneau flageole,
Quand chasse le matou, la souris s'affole.
Devant l'reptile, le crapaud tremble,
C'est pas facile de vivre ensemble.

Mais aujourd'hui faudra changer
Notre petite vie, sinon danger.
Sur ce bateau on ne survivra,
Que si les crocs ne servent pas.
Sur ce bateau on ne survivra,
Que si les crocs ne servent pas.

Les carnivores, c'est leur nature,
Aux herbivores rendent la vie dure.
Chacun pour soi en équilibre,
Pas d'autre loi que d'être libre.

À la fin du deuxième couplet, mon père s'est arrêté de jouer. Il nous a tous regardés en silence pendant un long moment en réfléchissant puis il a annoncé un peu solennellement en pointant son index.

— C'était normal... avant le déluge !

Et il a plaqué un accord.

Mais aujourd'hui faudra changer
Notre petite vie, sinon danger...

Renard, qui n'en pouvait plus, lui a carrément coupé la parole. Sa lèvre en tremblait d'émotion :

— Attendez, attendez, Capitaine ! Vous voulez dire qu'on pourra pas manger de viande ?... Même pas un petit poulet ?

— Même pas un petit poulet ! Je sais que c'est difficile pour tout le monde de se nourrir uniquement de patates, mais c'est la seule solution pour que tous, je dis bien tous, nous survivions. Allez ! Un peu de patience ! Ce déluge ne durera pas éternellement !

Puis mon père a repris :

Mais aujourd'hui faudra changer
Notre petite vie, sinon danger.
Sur ce bateau on ne survivra
Que si les crocs ne servent pas.
Sur ce bateau on ne survivra
Que si les crocs ne servent pas.

Lili s'est mise à chanter le refrain avec Ferdinand et, de fil en aiguille, ça a entraîné tout le monde. Même moi qui chante faux comme une casserole, je me suis laissé aller. On a tous repris la chanson en chœur. Tout à coup, on faisait partie d'une seule et même famille, c'était drôlement bien ! On s'est tous donné le bras et on s'est balancés ensemble au rythme de la chanson. Les éléphants battaient la mesure avec leur trompe.

Ferdinand avait trouvé une jolie façon de proclamer la loi sur le bateau, au grand soulagement des herbivores. Mais à voir la tête des carnivores, et surtout à l'œil noir de Renard, je me suis demandé si tous allaient avoir à cœur de la respecter.

Le lendemain matin, Lili m'a entraîné sur le toit de notre grange-bateau. Elle avait emporté avec elle la longue-vue de Ferdinand.

— Viens avec moi, j'ai une petite idée !

Son air énigmatique m'a étonné, mais je l'ai suivie sans poser de question. On a grimpé à l'échelle et, une fois tout en haut, Lili s'est assise sur les tuiles, elle a déplié la lunette et s'est mise à observer à la ronde. Il n'y avait que de l'eau à perte de vue, de l'eau, de l'eau, de l'eau... Ça me donnait le vertige.

— Hé ! Lili ! Tu crois qu'on est les seuls survivants, comme dans l'histoire de Noé ?

Sans interrompre son observation, elle m'a répondu :

— J'sais pas ! En tout cas, moi, j'vois rien !

Comme elle était belle dans la lumière avec tout ce « rien » autour d'elle ! Ça m'a donné du courage et j'en ai profité pour lui demander :

— Et s'il n'y avait plus personne sur la Terre, avec qui tu te marierais, toi ?

C'est parti tout seul. Je me suis pincé les lèvres mais c'était trop tard, les mots étaient lâchés. Ma question l'a tout de suite agacée.

— Même si je le savais, j'te le dirais pas, mon p'tit coco ! T'es un peu trop curieux, c'est tout !

Au point où j'en étais, j'ai ajouté :

— Moi, j'sais très bien avec qui je me marierai !

J'ai souri bêtement. J'avais les joues toutes rouges d'avoir osé lui dire ça, mais j'étais assez content de l'avoir fait. Elle, elle s'en fichait et continuait à observer l'immensité, l'œil rivé à sa longue-vue.

Et soudain, j'ai cru voir l'eau bouger d'une drôle de façon au loin.

— Hé ! Lili, regarde ! Y a quelque chose de bizarre, là-bas !

— Où ça ?

J'ai tendu mon bras devant moi.

— Là-bas !

Lili a braqué sa longue-vue et après un temps de mise au point elle s'est écriée :

— Ah ouais ! T'as raison. On dirait un bout de bois ou quelque chose comme ça ! Mais... Mais, non !... Attends !... C'est une tortue !

— T'es sûre ?

— Ah ! Ben oui, oui ! C'est même une tortue géante !

J'ai bondi sur mes deux pieds et je me suis laissé glisser sur les tuiles pour rejoindre plus vite l'échelle. Il fallait que j'aille tout de suite prévenir mon père.

La tortue flottait sur une sorte de bouée autour de laquelle s'étaient agrippées quelques moules. Elle était allongée, sans vie. Lili trépignait :

— Vite ! Vite ! Il faut faire quelque chose, elle n'a pas l'air bien !

Ferdinand a réagi très vite. Il a ôté ses bottes et son pantalon et, sans réfléchir, en caleçon, a plongé dans l'eau pour secourir la tortue.

*
* *

Par une des fenêtres du premier étage, Roger, l'éléphant, ouvrit un œil.

— Allons bon ! Qu'est-ce qui se passe encore là-haut ?

Sa femme, Denise, lui répondit :

— La p'tite a repéré une tortue !

Roger reprit, accablé :

— Tu vas voir qu'ils vont nous la ramener !

— Pourquoi tu dis ça ?

— Ben, tu sais bien !

— Ah oui ! C'est vrai que t'es allergique aux tortues, toi ! dit-elle avec un air narquois.

Puis elle ajouta :

— Au fait !... Tu pourrais pas te pousser un petit peu, dis ?

— Ça, c'est la meilleure ! Comment tu veux que je fasse ? J'ai déjà plus de place !

— Bon, si tu le prends comme ça !

— Je le prends pas comme ça ! J't'explique ! Tu vois pas que j'suis complètement coincé ! rouspéta Roger en donnant un bon coup de fesse à sa compagne.

— Oh ! là là ! Ce que tu peux être de mauvais

poil, ce matin ! répondit-elle en lui renvoyant la monnaie de sa pièce.

*
* *

On s'est tous portés du même côté du bateau pour assister au retour de Ferdinand. Tigre et Ours lui ont tendu la patte pour l'aider à remonter. Mon père tenait dans ses bras la tortue, qui faisait pitié à voir avec sa tête qui pendouillait sur le côté. Ferdinand a posé la bouée sur le côté et on s'est approchés de la carapace inerte.

— Désolé, je crois qu'on est arrivés trop tard !

Juliette s'est penchée sur l'animal :

— Pauvre bête !

— Non ! Grand-père ! C'est pas vrai, elle est pas morte ? s'est exclamée Lili.

Il y avait quelque chose qui clochait : cette tortue n'avait que trois pattes.

— Regardez, elle a une patte arrachée !

Ma mère s'est passé la paume de la main sur le visage, signe chez elle qui ne laissait rien présager de bon.

— Hum... Elle a dû s'faire attaquer !

Lili s'est accroupie près de la tortue et lui a chuchoté tendrement à l'oreille :

— Ouvre tes yeux, petite tortue... Ouvre tes yeux...

Tortue ne manifestait aucune réaction. Lili s'est tournée vers moi, comme si je pouvais faire quelque chose. Elle nous implorait tous du regard et de grosses larmes coulaient sur ses joues.

À cet instant-là, j'aurais tout donné pour avoir dans ma poche une baguette magique ou posséder des pouvoirs extraordinaires.

Lili s'est penchée vers la tortue et a caressé le bout de son museau, elle lui a même fait un bisou. On espérait tous un miracle...

Et c'est arrivé ! J'ai vu les paupières de la tortue se décoller puis elle a fini par entrouvrir les yeux.

— ... Ouais ! Elle est pas morte ! Elle est vivante !!! Elle est vivante !!! s'est écriée Lili.

J'étais soulagé pour cette tortue, qui allait faire partie de notre grande famille, et aussi très heureux pour Lili.

Tous les animaux se poussaient pour dévorer la rescapée des yeux.

— Reculez ! Reculez-vous ! Vous allez l'étouffer ! a dit Juliette.

J'ai vu la bouche de la tortue s'ouvrir en tremblant.

— Regardez, on dirait qu'elle veut parler !

— Oh !... Mais !... J'suis où, là ? a-t-elle soufflé avec une voix faiblarde.

— On t'a sauvée ! Tu es sur un bateau ! Sur notre bateau ! a répondu Lili. Mais qu'est-ce qui t'est arrivé ?

— C'est les crocodiles... Infesté de partout... Je leur ai échappé... de justesse... Oh ! Je suis à bout de force !

J'ai senti un soudain mouvement d'inquiétude parcourir l'assistance. Je me suis redressé pour regarder au loin. Mais l'horizon était vide.

Jusqu'à quand ?

— Tom ! Tom ! Va vite lui chercher quelque chose ! Tu vois pas qu'elle a faim !

J'ai foncé pour lui rapporter un reste de frites.

— Oh ! Vous m'avez sauvé la vie ! Sans vous, je n'avais aucune chance...

12

Ce soir-là, après le repas, Ferdinand nous a entraînés, Juliette, Lili et moi, sur le toit de la grange. Il
faisait doux et on s'est allongés sur les tuiles, à la
belle étoile. Je n'avais jamais observé un ciel si pur,
il me semblait qu'il y avait beaucoup plus d'étoiles
que d'habitude. Ferdinand a précisé que c'était
parce qu'il n'y avait aucune lumière parasite, et il
nous a parlé de ses longs séjours en pleine mer, où
il n'y a d'autre spectacle que celui du ciel.

— Quand est-ce qu'on va revenir sur la terre,
Grand-père ? ai-je demandé au bout d'un long
silence.

— Personne ne peut le dire, fiston. Il faut attendre que le sol ait absorbé toute cette eau... Ça va prendre du temps !

Lili s'est redressée en soufflant.

— Moi, j'commence à en avoir un peu marre !

— Moi aussi, tu sais, lui a répondu Juliette, je voudrais qu'elle arrive, cette décrue, et que tout ça finisse !

— Et si tu essayais avec ta magie, Juliette ? s'est écriée Lili.

— J'aimerais bien faire quelque chose, mais, vous savez bien, ça ne marche jamais !

Avec mon père on s'est regardés du coin de l'œil et on est partis d'un grand rire.

Soudain j'ai aperçu une étoile filante qui a traversé le ciel d'un bout à l'autre, bien visible. J'ai pointé mon doigt au-dessus de ma tête en criant :

— Oh ! Une étoile filante, là !

— Eh bien, fais un vœu, Tom ! a dit ma mère.

J'ai réfléchi un instant et j'ai annoncé, fier de ma trouvaille :

— Ça y est... J'veux que le déluge s'arrête !

— T'es pas malin, maintenant que tu l'as dit, ça marchera pas ! a rouspété Lili.

J'ai pas eu envie de lui répondre. Je me suis simplement tourné vers Ferdinand :

— Grand-père ! Les étoiles filantes, elles viennent d'où ?

— Tu sais, mon garçon, l'espace n'est pas vide. Il y a un nombre incalculable de débris et de fragments de rochers qui se baladent là-haut. Certains sont énormes, d'autres minuscules. Vois-tu, il arrive assez souvent que la Terre croise un de ces débris. Dans ce cas-là, la météorite, qui file à toute vitesse, plonge dans notre atmosphère et prend feu comme une allumette. Psschhhiiit !

C'était donc ça !

— Et alors, c'est pour ça que ça brille ?

Lili n'a pas pu s'empêcher d'ajouter :

— Mais c'est qu'il est pas bête, ce p'tit !

— Attendez ! Ce n'est pas tout ! a repris Ferdinand. Ces étoiles filantes, elles ont un secret ! Il y a des milliards d'années, quand les premiers éclats d'espace venus de l'autre bout de l'Univers sont arrivés sur notre planète, il s'est passé une chose extraordinaire. C'est comme si le ciel avait fait l'amour avec la Terre... Et alors, ces minuscules poussières, nées dans la nuit des temps, ont apporté les premiers germes de la vie. C'est comme ça que tout a commencé. Nous sommes tous les arrière-arrière-petits-enfants de ces étoiles filantes.

Même Lili n'a rien trouvé à dire. Ça nous a cloué le bec.

Et puis, comme si elles s'étaient donné le mot, plusieurs étoiles filantes ont traversé le ciel au-dessus de nos têtes. Ça partait dans toutes les directions. À gauche ! À droite ! Derrière nous !... Une vraie pluie ! Certaines étaient si lumineuses qu'on se serait cru au milieu d'un feu d'artifice. J'en ai eu des frissons dans le dos !

— Je me souviens, a dit Ferdinand, une nuit, alors que je dormais sur le pont de mon bateau, nous avons tous été réveillés en sursaut par une étoile filante dont l'éclat, hors du commun, avait illuminé le ciel comme en plein jour !

13

Depuis le début du déluge, mes cheveux avaient eu le temps de pousser. Une mèche me tombait sans arrêt devant les yeux. Un beau jour ça a tellement agacé ma mère qu'elle m'a dit :

— Ne bouge pas de là, Tom, j'en peux plus de te voir avec cette tignasse !

Elle est allée chercher un tabouret et m'a ordonné de m'asseoir. S'il y a une chose que je déteste, c'est bien de me faire couper les cheveux. Ça n'en finit jamais, ça fait mal, ça pique de partout et quand c'est fini on a une tête de débile. J'entendais déjà les sarcasmes de Lili. « Whaa, la coupe ! T'es passé sous le tracteur de Ferdinand ou quoi ! »

Avant que je dise quoi que ce soit, Juliette m'a serré la gorge avec un torchon et a commencé à me tailler les poils de la tête avec ses grands ciseaux de couturière. J'en avais plein le cou.

À l'autre bout de la terrasse, j'ai observé Lili et Tortue qui discutaient en catimini. Elles se chuchotaient des choses à l'oreille. Au bout d'un moment, elles m'ont regardé avec un drôle d'air et puis elles se sont mises à rire. J'étais sûr qu'elles se moquaient de moi. J'ai demandé à ma mère :

— Qu'est-ce qu'elles se disent toutes les deux, là ?

— Oh ! le petit curieux ! m'a-t-elle répondu en faisant sa voix pointue.

— J'suis sûr qu'elles parlent sur moi !

— Ah, mais arrête de bouger ! Tu m'énerves ! J'vais finir par te couper l'oreille si ça continue !

Après un dernier coup de ciseaux pour égaliser ma frange, Juliette a dénoué le torchon et m'a dit en plantant ses deux poings dans les hanches :

— Voilà ! Terminé ! Allez, tu peux filer !

Pour bien faire comprendre à ma mère que je n'étais pas content, je me suis ébouriffé la tête avant de déguerpir sous ses gros yeux.

De l'autre côté du bateau, Ours et Tigre avaient commencé une partie de bras de fer tandis que les herbivores jouaient au jeu du foulard. Quand Lisette, notre chienne à déposé le petit bout de tissu dans le dos de Vache, celle-ci s'est levée et a bondi pour la rattraper. Elle sautait si haut et retombait si fort que ça a fait tanguer dangereusement le bateau. Moi, j'avais choisi d'enjamber l'échelle pour retrouver mon père qui bricolait en bas. En descendant, j'ai encore entendu Renard crier à Vache :

— Hé, la Meuh-Meuh, on se calme, là !

Les autres ont ri aux éclats, mais moi, après les moqueries de Lili et Tortue, je n'avais pas le cœur à la fête.

Au rez-de-chaussée, dans le garage, Ferdinand était couché sur le dos. Il s'activait, allongé sous son tracteur. On ne voyait que l'extrémité de ses jambes, qui dépassait des pneus. Je me suis approché en traînant les pieds.

— C'est toi, Tom ? a questionné Ferdinand.

— Mouais !

— Dis-moi, Tom, tu n'es pas avec Lili ?

— Bof ! Avec sa nouvelle copine, elle veut plus jouer avec moi, alors !

— Tu sais parfois les filles, il faut les laisser un peu ensemble. Elles ont des choses à se raconter qui ne nous regardent pas.

Tout en parlant, Ferdinand serrait de toutes ses forces un boulon avec une énorme clef à molette.

— Mmmm. Voilà ! Bon !

Après cet effort, il s'est redressé brusquement en oubliant qu'il se trouvait sous le tracteur. Bang !

— Ourf ! Bon sang ! Que le ciel est bas !

Il s'est cogné méchamment le crâne contre la fonte du châssis. Ç'a résonné en faisant un bruit sourd et métallique et le coup m'a fait rentrer la tête dans les épaules.

— Tiens ! Pendant que tu y es, a continué Ferdinand, passe-moi la massette, elle doit traîner quelque part à côté de toi !

Je me suis accroupi pour lui tendre l'outil.

— Merci !... Tu vas rentrer, oui ? a-t-il grogné, les mâchoires serrées par l'effort.

Il a donné trois ou quatre coups de marteau bien frappés avant de conclure :

— Voilà, là ! Ça ne bougera plus !

Je n'avais pas envie de parler et pourtant je mourais d'envie de savoir ce qu'il était en train de faire.

Digiling ! Digiling ! Digiling ! C'était Juliette qui agitait la cloche pendue au cou de Vache :

— À table ! À table ! C'est prêt !

Mon père a rampé pour sortir de dessous le tracteur et après avoir donné de grandes claques sur son pantalon, il m'a dit en me caressant le haut du crâne :

— Bon ! Allez, fiston, on va se ravitailler ! On va pas se laisser abattre, quand même !

Quand on est arrivés sur la terrasse, ça fumait dans la baignoire-chaudron. Avec Ferdinand, on a donné un coup de main pour distribuer les cornets de frites à tous les passagers. Comme d'habitude, les herbivores se sont régalés et les carnivores ont fait la grimace.

— Encore des frites ! Oh là là, non ! Non ! Non ! Tout mais pas ça ! a grogné Renard.

— Beurrrkkk ! a simplement ajouté Loup.

En entendant la réaction de son voisin, un des frères Cochon s'est empressé de demander :

— Hé ! Tu m'donnes ta part ?

— Tiens, prends-les, c'est d'bon cœur ! a répondu Renard en lui lançant son cornet de frites en pleine figure.

— Allez, prenez les miennes aussi, je suis écœuré ! a surenchéri Loup en singeant son compère.

— Hum ! les bonnes fri-frites ! ont gloussé les frères Cochon.

Le sang de Ferdinand n'a fait qu'un tour. Je l'ai

vu se lever, tout gonflé de rage. Il s'est propulsé à grands pas vers les deux loustics et leur a dit, le visage écarlate :

— Oh là, vous deux ! Qu'est-ce qui vous prend ? C'est toute notre fortune, ces frites ! Et vous, vous ne trouvez rien de mieux à faire que les gaspiller ! Ça tourne bien rond dans vos p'tites têtes ?

Renard et Loup ont baissé le museau, penauds. Ils n'en menaient pas large. Mais quand Ferdinand est retourné à sa place, je les ai bien vus faire un geste dans son dos, un geste grossier en sortant les crocs.

De retour de notre côté, Ferdinand s'est laissé tomber sur les fesses, il était toujours très en colère. Et il a attrapé un cornet de frites, que lui tendait Juliette, comme si c'était une mouche. Après ça, le repas s'est terminé dans le silence le plus total. On n'entendait que mon père qui grognait de temps en temps :

— Y a des fois vraiment... Vraiment ! C'est pas vrai ! Non, mais c'est pas vrai !

— Faut les comprendre, Ferdinand, ce sont des carnivores, tout de même !

— Carnivores ou pas, a répondu Ferdinand, à peine calmé, il faut qu'on se tienne à ce qu'on a dit ! Sinon tout va se déglinguer sur ce bateau !

14

Un peu plus tard, Juliette m'a pris à part.

— Bon je sais, tu vas encore te moquer de moi m'a-t-elle déclaré, mais je m'en fiche, tu pourras dire ce que tu voudras ! Je vais tenter une nouvelle fois de mettre en pratique ce que m'a appris ma grand-mère.

Ça sentait la démonstration de magie à plein nez. Je me suis dépêché d'aller le répéter à Lili :

— Viens vite, ma mère va faire de la magie !

Quand nous sommes revenus, Juliette avait installé une pomme de terre sur le plancher et dansait autour de celle-ci avec son parapluie grand ouvert. Elle bredouillait des formules dans sa langue africaine. Évidemment, on ne comprenait rien du tout, mais elle y mettait vraiment tout son cœur.

— Elle cherche à transformer une patate en côtelette ! a dit Tortue qui s'était rapprochée de nous.

— Par le pouvoir de mes ancêtres, Yégoun ! Par l'esprit de notre mère la terre, Yégoun ! Petite pomme de terre ! Zome – Enné – Zome ! Om Bom ! Om Bom ! Bassé ! Bassé ! Bassé !

À la fin, elle a couvert la pomme de terre avec son parapluie, dont les baleines s'étaient retournées, a récité encore une ou deux formules, puis elle s'est penchée pour voir sous son pépin « le résultat de ses élucubrations », comme dit mon père...

— Ah mince ! Encore loupé ! s'est-elle mise à rire. Je ne sais pas pourquoi, ça ne marche jamais ! Qu'est-ce que vous voulez, je n'suis pas un n'ganga, c'est tout !

Elle n'en finissait pas de rire et nous avons tous ri avec elle, surtout Ferdinand, qui a même failli s'étouffer. On a dû s'y mettre à trois pour le calmer en lui tapant dans le dos.

— Oh ! Oh ! Oh ! Oh ! Juliette tu nous feras mourir avec ta magie qui rate !

— Te moque pas, Ferdinand ! Au temps de ma grand-mère, ça aurait marché ! Je te l'jure ! Walaï ! Ferdi.

Quand je dis que tout le monde riait, c'est un peu exagéré car les carnivores, eux, faisaient plutôt grise mine. Lion a ramassé la pomme de terre et l'a flairée sous toutes ses faces. À sa tête on a bien vu que ça ne sentait pas la côtelette.

*
* *

Ce même soir, Lili et Tortue, devenues inséparables, s'isolèrent toutes les deux. Elles s'assirent tranquillement sur le rebord de la chambre à air, les pieds dans le vide.

— Moi aussi, tu sais, c'est pareil, je les déteste, ces crocodiles ! s'insurgea Lili.

— Ils ont exterminé toute ma famille, je suis la seule tortue survivante !

En même temps qu'elle parlait, Tortue avait extrait trois œufs colorés de l'intérieur de sa carapace.

— Regarde ! C'est tout ce qu'il me reste ! Mes œufs. Trois petits œufs de tortue. Je les ai arrachés aux griffes de ces infâmes crocodiles qui voulaient les dévorer.

Ces derniers mots se bloquèrent dans sa gorge. Lili resta bouche bée en entendant le récit de Tortue.

— J'ai vécu un effroyable cauchemar, continua Tortue en sanglotant. C'est le déluge qui les a rendus fous. Ils fonçaient sur tout ce qui bougeait. Je les ai même vus attaquer des humains dans des bateaux ! C'était horrible, ils étaient déchaînés. C'est incroyable mais j'ai réussi à m'en sortir. Heureusement qu'il y avait cette bouée de sauvetage, justement. Et la suite, tu la connais...

Une phrase résonna bizarrement dans la tête de Lili, dont les yeux s'agrandirent sous le coup d'une soudaine inquiétude : *Des humains dans des bateaux !...*

— Allons nous coucher, dit Tortue, la nuit est maintenant tombée.

*
* *

L'Arche flotte paisiblement et Lili est plongée dans un rêve. Les dernières scènes du départ de ses parents pour l'Afrique défilent dans le cerveau de la fillette. René et Louise l'embrassent. Ils montent dans la camionnette qui démarre. Elle voit Ferdinand courir derrière eux en brandissant la bouée rouge et blanche. Son regard se focalise sur la partie de la bouée qui porte, inscrit sur le côté, son prénom : *LILI*.

À cette vision, Lili se redressa d'un bond dans son hamac, angoissée. Elle sauta vivement par-dessus la balustrade de la terrasse et, par l'échelle, se précipita en bas, près du tracteur. Elle saisit la bouée couverte de moules et la frotta vigoureusement. Sous les coquilles apparut ce qu'elle redoutait. La révélation lui causa une émotion trop violente. Lili éclata en sanglots.

Juliette accourut en chemise de nuit :

— Lili ! Mais qu'est-ce qui se passe ?

— Mes parents ! Je le savais, j'en étais sûre ! se lamenta Lili.

Juliette l'enlaça, maternellement.

— Lili ! Je comprends ton chagrin ! Pleure, mon enfant, pleure...

— Mon papa ! Ma maman ! Je ne les reverrai plus jamais !

— Tu sais, beaucoup de gens sont morts pendant le déluge. Peut-être même que nous sommes les seuls survivants de la Terre entière !

— Pourtant... Je croyais...

Lili tenta de reprendre son souffle mais les bouffées de sanglots incontrôlés la submergent. Désespérée, elle se jeta dans les bras de Juliette.

— Bé – Bra – Boyé – Ga – Momoïne... Pleure, ma Lili, pleure...

Juliette berça cette pauvre enfant cruellement blessée et lui chanta une berceuse qui venait de son village natal, pour la consoler. La petite finit par se laisser aller et sa tête glissa sur l'épaule de Juliette. Alors, la mère de Tom prit dans ses bras le petit corps abandonné et remonta sur la terrasse. Arrivée en haut, elle déposa Lili tout doucement dans son hamac près de Tom qui dormait à poings fermés.

— Pauvre petite fille ! Pauvre de nous ! C'est vraiment trop triste ! Mais qu'est-ce qu'on va devenir ?

À son tour, Juliette craqua, complètement bouleversée. Malgré ses efforts pour se contrôler, elle fondit en larmes au-dessus du hamac de Lili. Ferdinand s'approcha d'elle.

— Juliette, allons ma Juliette ! lui dit-il avec beaucoup de tendresse. Pas devant les enfants ! Viens avec moi, on va discuter un peu plus loin !

Juliette se détacha avec peine de Lili et suivit Ferdinand, qui l'entraîna sur le toit.

Louise, René ! Ils étaient si bons ! sanglota soudain Juliette. Oh là là là là ! Que reste-t-il de notre

Terre ? De ce que nous avons construit ? De ce que nous avons rêvé ? Rien ! Tout a disparu, on n'a plus rien, plus rien du tout !

— Tu n'peux pas dire ça, Juliette, la fin du monde, ça n'existe pas !

— Oui mais tu ne te rends pas compte, ça fait combien de temps que nous vivons ce cauchemar, seuls au monde ?

— Un an... Dix ans... Cent ans... Personne ne peut le dire, le temps s'est arrêté ! Mais on peut espérer qu'un jour l'eau finira par redescendre. Ce sera la décrue, et ce jour-là, la vie recommencera !

— Tu en es sûr, Ferdinand ? s'inquiéta Juliette, à peine rassurée.

— Non, je ne suis sûr de rien ! répondit Ferdinand très ému. Si ! D'une chose. C'est qu'il y a longtemps que je t'aime, Juliette, et que notre temps n'est pas fini !

Juliette se glissa dans les bras de Ferdinand, comme une petite fille.

— Oh... Ferdi !

15

Le lendemain matin, quand je me suis réveillé, j'ai tout de suite senti que quelque chose ne tournait pas rond. Lili pleurait dans un coin d'une façon que je ne lui connaissais pas. Quand j'ai voulu m'approcher, elle m'a tourné le dos.

— Laisse-moi tranquille !

— Mais Lili...

— Tu ne peux pas comprendre, va-t'en !

Qu'est-ce que je ne pouvais pas comprendre ! Qu'y avait-il de si sérieux ?

Je suis allé trouver ma mère. Elle avait de grosses

poches sous les yeux et faisait une tête d'enterrement.

— Qu'est-ce qui se passe, Maman ? Qu'est-ce que vous avez tous ? Il est arrivé un malheur ?

— Tu sais, Tom, m'a-t-elle répondu, avec ton père, on n'a pas pu fermé l'œil de la nuit. La bouée, celle qui a permis à Tortue de survivre, eh bien Lili a découvert que c'était précisément celle que Ferdinand avait offerte à ses parents le jour de leur départ, tu te souviens ?

Bien sûr que je me souvenais : l'Afrique, les crocodiles, le bateau de plaisance, les mises en garde de Ferdinand, la bouée avec *Lili* inscrit en grosses lettres...

— Mais alors, ça veut dire que...

— J'en ai bien peur. C'est affreux de perdre ses parents, tu en sais quelque chose, toi, mon pauvre petit ! Lili va maintenant avoir un grand besoin d'affection !

Elle m'a attiré contre sa poitrine et j'ai senti ses larmes couler le long de mon cou.

— Il va falloir être courageux, a-t-elle ajouté, la gorge serrée.

Cette nouvelle m'a fait un choc terrible. M. et Mme Lamotte disparus ! Je n'avais jamais imaginé qu'une chose pareille puisse arriver. Surtout le père de Lili qui se vantait sans arrêt d'être immortel.

Un peu plus tard, on s'est tous retrouvés en bas, autour de Ferdinand qui remplissait le radiateur du tracteur en y déversant le contenu d'une énorme barrique. Lili s'était un peu calmée, elle était assise sur les genoux de Juliette, la tête enfouie dans son cou.

— Tu sais, Lili, moi aussi mes parents sont morts... Ça fait longtemps, j'étais encore tout petit. C'était pendant la guerre, je crois...

Je n'en étais plus très sûr.

Ça devait être dur pour Lili de m'entendre parler de la mort de mes parents alors qu'elle venait d'apprendre la même chose pour les siens, mais elle m'a écouté jusqu'au bout. J'ai eu l'impression que mon histoire la rapprochait un peu de moi.

— En tout cas, ai-je ajouté en montrant Ferdinand du menton, c'est lui, là, qui m'a adopté.

— Je connaissais bien ses parents, a enchaîné Ferdinand. Son père a été marin avec moi, c'était un copain. Alors, avec Juliette, on a décidé d'adopter ce moussaillon !

Ces propos ont eu un effet apaisant sur Lili, qui a demandé avec une toute petite voix :

— Et moi, vous m'adopterez aussi ?

— Rappelle-toi la promesse que nous avons

faite à tes parents : nous leur avons promis de nous occuper de toi, a répondu Juliette, et on n'a qu'une parole, ma chérie !

Lili a paru soulagée, elle s'est tournée vers Ferdinand et lui a dit avec ses grands yeux tristes :

— Et toi, Grand-père, tu promets aussi ?

— Je me fais un honneur de prendre sous ma protection tous ceux qui m'appellent *Grand-père,* a répondu Ferdinand en reposant la barrique. Même si je préférerais que certains m'appellent autrement... a-t-il ajouté en me faisant un clin d'œil.

Pour lui montrer que ça n'avait pas une si grande importance, j'ai posé mes deux pieds sur les siens et il a fait la marche du canard en me tenant par le bout des mains. C'était notre plus grand témoignage d'amour à tous les deux.

Lili a tendu la main dans notre direction et mon père l'a serrée dans sa grosse paluche.

— Eh ! Ferdinand ! Mine de rien, notre petite famille s'agrandit ! a conclu Juliette.

16

Le déluge qui s'était déversé sur la Terre avait créé une situation inédite qui était bien partie pour durer.

Nos amis organisaient leur vie sur l'Arche. Lili surmontait péniblement son malheur, Tom était aux petits soins pour elle. Chacun devait prendre son mal en patience et chercher des idées originales pour tuer le temps. Les herbivores étaient, de loin, ceux qui manifestaient le plus d'inventivité pour trouver des jeux distrayants. En revanche, les carnivores se contentaient de faire des exercices de musculation et de taper la belote. Quant aux deux éléphants, coincés ensemble au premier étage, ils ne cessaient de se chamailler, la plupart du temps pour des broutilles, perpétuant ainsi leur vie désabusée de vieux couple.

Le train-train quotidien était rythmé par l'heure des repas. Comme on le sait, ceux-ci étaient composés désespérément d'un seul et unique plat, matin, midi et soir : des frites, des frites et encore des frites ! Du côté des carnivores, cette contrainte gastronomique était de moins en moins tolérée. La grogne montait ! Jugez plutôt !

— Je ne sais pas pour vous mais moi, je commence à en avoir ma claque de ces patates, dit en râlant Tigre. Ça me tord les boyaux et ça me brûle à l'intérieur ! J'te raconte pas les coliques !

— On est tous logés à la même enseigne, regarde plutôt Renard ! dit Lion.

Renard, plié en deux, se tenait le ventre en grimaçant de douleur.

— Oh là là, les gars ! M'en parlez pas ! Je l'dis carrément, je sens que j'pourrai pas tenir longtemps !

Faisant écho à cette dernière réflexion, une voix étouffée, chuchotée et qui semblait venir de nulle part, susurra sournoisement aux oreilles des carnivores :

— Psitt ! Hé ! Psitt !... Enfin, quoi ! Vous allez

vous laisser faire comme ça longtemps ? Vous allez crever si vous mangez pas de viande ! C'est pourtant pas ce qui manque sur ce rafiot. Un poulet de plus ou de moins, qu'est-ce que ça peut faire ! Personne n'y verra rien !

— Hé toi ! lui répondit Lion, toi qui parles, là ! Je sais pas d'où ! T'oublies une chose : la loi du capitaine ! On n'a pas le droit !

La voix mystérieuse reprit :

— Et alors ! Qui il se croit ? Il veut changer les lois de la nature, lui ! Depuis quand les carnivores ne mangeraient-ils plus de viande ?

Voici ce qu'on put entendre la nuit dernière. Et ce n'était qu'un début...

Cette nuit-là, les fauves furent furieusement travaillés par les propos de l'obscur inconnu. Leur sommeil ne fut jamais aussi agité. Chacun rêva qu'il dégustait un poulet, un cuisseau, un jambonneau... Les crocs claquaient, les dents grinçaient, les langues passaient et repassaient sur les babines...

*
* *

Les travaux de Ferdinand finirent par prendre

forme. À l'aide de cordes très épaisses, il noua solidement entre eux deux lots de quatre pelles de maçon pour former de grandes hélices. Il raccorda chaque hélice à un axe lui-même relié au moteur du tracteur. Le bateau était maintenant équipé d'un système de rames qui allait lui permettre d'avancer.

— On ne peut pas rester scotchés, là, sans rien faire ! Faut qu'on bouge, mon p'tit gars !

— Et tu crois que ça va marcher, avec ça ? ai-je demandé.

— Tu vois, bonhomme, avec la force du moteur du tracteur, les pelles vont se mettre à tourner et on va enfin pouvoir se déplacer. Astucieux, non !

Dans ces moments-là, j'étais vraiment fier que Ferdinand soit mon père. Notre bateau allait devenir un vrai bateau ! Peut-être une chance de nous en sortir !

Ferdinand a évalué son travail avec un grand sourire de satisfaction. J'en ai profité pour lui demander :

— Au fait ! Il était bricoleur, mon père ?

— Oh oui ! a répondu Ferdinand en s'asseyant au bord de la chambre à air. C'était même un as de la mécanique. À côté de lui, je ne suis qu'un amateur. Il faut dire que j'étais toujours sur le pont, moi ; ton père, enfin je veux dire ton vrai père, il était aux machines. Ah ! Il en connaissait un rayon, il pouvait démonter un moteur en moins de deux heures ! Jamais vu un gars aussi fortiche sur un bateau !

Ferdinand avait à peine terminé sa phrase qu'on a entendu un cri effroyable qui venait d'en haut.

— Au secours ! À l'aide ! À l'aide ! Au secours !

Aussitôt, on s'est redressés et mon père a marmonné :

— Qu'est-ce que c'est que ce bazar ?

C'était Biquette qui hurlait comme une folle depuis la terrasse. Des cris à fendre l'âme !

On est montés quatre à quatre en suivant ses appels. Et là-haut, le spectacle n'était pas beau à voir ! Renard s'était jeté sur notre chèvre et lui avait planté ses crocs dans la cuisse.

— Arrête ! Lâche-moi ! Lâche-moi ! Pitié ! Ma patte ! Ma patte ! Aïe, aïe, aïe ! hurlait Biquette.

— Qu'est-ce qui se passe ici ? a dit mon père en prenant sa grosse voix.

— C'est eux, ils l'ont attaquée, ils veulent la dévorer, a répondu Tortue apeurée.

— Lâche-la tout de suite, tu veux bien ! a ordonné Ferdinand.

Renard a desserré les mâchoires et Biquette est

venue, en traînant la patte, se réfugier dans les jambes de Ferdinand.

— J'pouvais rien faire contre eux tous !

— Non mais alors ! Quest-ce qui vous a pris ? Vous êtes devenus complètement fous, ma parole !

Les carnivores ont tous baissé le museau devant le nouveau coup de sang de Ferdinand.

— Ah çà ! J'en crois pas mes yeux ! Qu'est-ce que vous voulez ? Vous entre-tuer ? Vous dévorer jusqu'au dernier ?

Renard a tenté de s'expliquer :

— Non, c'est pas ça, Capitaine, vous savez bien ! On a faim.

— On a besoin de viande, quoi !

— Les frites, sincèrement, on n'en peut plus ! a renchéri Loup.

— Mille patates de mille patates ! Vous avez quelque chose dans vos p'tites têtes ? C'est un miracle si on a échappé au déluge et maintenant vous voudriez tout remettre en question ! Anéantir nos chances de survie ! Alors là, si c'est ça, il faudra me passer sur le corps, mes p'tits gars ! Vous entendez ?

Tout en leur passant ce savon, Ferdinand a attrapé énergiquement la baignoire-friteuse qui pendait au bout d'une corde à l'extérieur de la grange, accrochée à une poulie. Il a tiré sur la corde et l'a fait remonter.

— Allez, ça suffit, ça suffit ! On a assez d'ennuis comme ça en ce moment ! Je vais vous mettre à l'écart, dans la baignoire !

Les carnivores ont bien été obligés de s'exécuter. Ils ont enjambé la balustrade pour s'entasser les uns contre les autres dans le récipient plein de graisse. Renard a ripé sur le bord de la baignoire et s'est affalé, les quatre fers en l'air sur les autres.

— Non ! Non ! Non ! C'est pas possible, j'peux pas vous faire confiance !

Pendant ce temps, les herbivores, attirés par le bruit, avaient pointé le nez en gardant leurs distances. En voyant la cabriole de Renard, ils sont tous partis à rire. C'étaient des rires moqueurs. Girafe a tiré une langue d'au moins cinquante centimètres. Ça n'a pas du tout plu à Ferdinand qui n'était pas d'humeur à plaisanter. Il s'est retourné avec un air mauvais :

— Et vous, c'est pas le moment de me chatouiller, hein !

Les autres se sont tout de suite écrasés. Puis Ferdinand a lâché brusquement la corde qui retenait la baignoire, entraînant les carnivores dans une chute vertigineuse de quatre étages directement dans l'eau. Ça ne rigolait plus !

— Allez, j'en ai ras le bol de vous ! Vous n'êtes que des crapules, des égoïstes de la dernière espèce ! Mais qu'est-ce qui m'a flanqué une bande d'ectoplasmes pareille !

Les carnivores ont encaissé sans répliquer mais cette fois ils en avaient gros sur la patate. Je n'ai pas pu m'empêcher de penser, en les voyant flotter dans la baignoire, qu'ils allaient se venger.

17

Au milieu de la nuit eut lieu une bien étrange rencontre. Deux énormes crocodiles s'approchaient silencieusement du bateau endormi, obéissant à l'appel de mystérieux signaux lumineux qui provenaient de l'Arche.

Qui était donc le traître qui tenait la lampe de poche ?

— Alors, quand est-ce qu'on attaque ? grogna le premier.

— Tu vas répondre, oui ! éructa le deuxième.

— Baissez d'un ton ! réclama une voix dissimulée dans l'ombre du bateau. Vous pouvez pas être un peu plus discrets, non ? Tant que le capitaine est là, on peut rien faire. Je vous préviendrai dès que je l'aurai liquidé.

— Tu sais ce qu'on cherche, je vais pas te faire un dessin ?

— Pas la peine, non ! Ils sont bien là, sur ce bateau ! J'les ai vus, cachés !

— Ça vaut mieux pour toi ! Les autres sont fous de rage là-bas, on pourra pas les retenir longtemps, j'te préviens !

— Holà ! Oh ! Oh ! Oh ! dit le traitre qui portait une carapace en leur braquant la lumière dans les yeux, allez-y mollo, faudrait pas tout faire capoter ! Faites-moi confiance, j'ai un plan. Et maintenant, filez ! Je vous ferai des signaux quand ce sera le moment de l'attaque !

La lumière s'éteignit. Les crocodiles firent demi-tour et disparurent au loin.

Vous l'avez deviné, Tortue jouait un drôle de jeu !

Les carnivores n'avaient rien perdu de la scène, tapis au fond de la baignoire. Lion sortit la tête prudemment :

— Oh, la vache ! Jamais vu des crocodiles aussi gros ! Whaou, les monstres !

— C'était qui avec la lampe de poche ? s'enquit Tigre.

— J'ai pas réussi à voir, répondit Renard, mais si je le tenais, il passerait un mauvais quart d'heure !

L'eau se troubla à proximité de la baignoire et Tortue émergea à la surface. Lion l'accueillit avec méfiance :

— Tortue ! Alors, c'est toi qui complotes avec les crocodiles ?

— Moi ? Ça va pas, non ! répondit Tortue offusquée.

— Arrête ! On t'a vue faire des signaux lumineux !

— Vous n'avez rien vu du tout ! Moi, j'ai tout vu ! C'est le capitaine, avec sa lampe de poche, qui a attiré les crocos ! Je suis justement venue vous prévenir ! Ça vous intéresserait de savoir ce qu'il a dit ?

— Arrête tes salades, là !

— Mais laisse, laisse-la parler !

— Vous savez qui est responsable du pétrin dans lequel vous vous trouvez ? reprit Tortue.

— Ah ! Ah ça, oui ! Que trop !

— Eh bien croyez ce que vous voudrez, mais

c'est encore lui, le capitaine. En échange de sa tranquillité, il veut vous livrer aux crocodiles. Il a dit qu'il voulait se débarrasser des carnivores. Que vous lui pourrissiez la vie ! Je l'ai entendu !

— Tu es sûre de ce que tu avances ?

— J'te jure ! Entre carnivores, faut bien s'entraider, non !

— Alors qu'est-ce qu'on fait, maintenant ? demanda Loup.

— Il n'y a pas trente-six solutions rétorqua Tortue. Attaquer les premiers ! Je vous rappelle qu'une fois le capitaine éliminé : à vous les petits poulets, les rôtis, les gigots ! Vous n'aurez plus jamais faim ! Faut y aller, les gars ! C'est du gâteau !

Sur ce, Tortue plongea en direction du bateau pendant que Renard, bondissant sur le rebord de la baignoire, exhortait les autres à suivre Tortue :

— De toute façon on va pas rester éternellement dans... dans... dans cette cochonnerie de friteuse ! Enfin, les gars !

De retour sur le bateau, Tortue tendit l'oreille quelques instants, tous ses sens en éveil... Rien ne bougeait... Seuls les ronflements de Ferdinand et des éléphants troublaient le clapotis familier de l'eau contre la chambre à air. C'était le moment !

Tortue agrippa la corde qui retenait la baignoire

et la tira à elle. Les carnivores se rapprochèrent. Ils bondirent sur le bateau et investirent discrètement les lieux. Emmenés par Tortue, qui s'imposait comme leur chef de bande, les carnivores se glissèrent à l'intérieur du garage... Quelques minutes plus tard ils en ressortirent armés d'une scie, d'une paire de tenailles et de marteaux. Ours, qui n'était pas le plus malin du groupe, n'avait trouvé que la vieille barrique.

À l'attaque ! Les rebelles grimpèrent à l'échelle jusqu'à la terrasse où dormaient, inconscients du danger, Ferdinand et sa famille.

En un instant, ils prirent position autour du hamac du vieil homme, qui se réveilla en sursaut.

— Mais... Qu'est-ce que... Non mais ! Qu'est-ce que c'est ? Les carnivores ! ici ? grommela-t-il en se frottant les yeux.

Les autres brandirent leurs armes improvisées, prêts à frapper.

— Qu'est-ce que vous fichez là ? Mille patates ! En pleine nuit ! Mais ma parole, qu'est-ce qui vous prend ?

À ce moment-là, une ombre passa derrière la lucarne du toit. C'était Ours qui, gêné par la barrique qu'il portait au-devant de lui, était monté trop haut. Sous l'effet de son poids, une rangée de tuiles glissa du toit. L'animal déséquilibré s'affala et le tonneau dégringola avec fracas sur la tête de Ferdinand. À moitié assommé, coincé à l'intérieur de la barrique, le père de Tom titubait de rage :

— Sortez-moi de là ! Tonnerre de tonnerre ! Sortez-moi de là tout de suite ! Bande de vieilles casseroles percées ! Enlevez-moi ce machin, vous m'entendez ! Enlevez-moi ça, j'vous dis ! Ramassis de brutes borgnes ! Juliette ! ? Juliette ! ?

Les carnivores étaient à présent maîtres de la situation. À coups de pattes, ils firent rouler le tonneau vers la balustrade dont Tortue venait de scier un tronçon.

*
* *

C'est à peu près à ce moment-là que je me suis réveillé. Tout s'est passé très vite ! J'ai juste eu le temps de voir le tonneau, avec mon père dedans, qui basculait dans le vide. J'ai été comme foudroyé !

Juliette a plongé du haut de l'Arche pour porter secours à mon père et ils ont disparu dans la nuit.

Avec Lili, on s'est mis à crier de toutes nos forces, mais c'était peine perdue, les carnivores avaient le pouvoir et nous étions leurs prisonniers.

18

Les carnivores nous ont poussés, avec les herbivores, à l'intérieur du garage. Ils ont refermé les
deux battants et les ont bloqués avec un madrier.

— Pitié ! a imploré Girafe.

— Ne nous faites pas de mal ! pleurnichaient
les lapins.

— C'est une catastrophe ! On va tous y passer !

On se demandait bien ce qu'ils allaient faire de
nous. Les frères Cochon et Beline, la brebis, pleuraient, et Biquette a même fait une crise de nerfs.
C'était terrible !

Lili avait perdu coup sur coup ses parents et

maintenant Juliette et Ferdinand. Son moral était au-dessous de zéro.

Curieusement, moi, au lieu d'être déprimé, ça m'a donné du courage. Je n'avais pas envie de me laisser faire comme ça.

— T'en fais pas, ma Lili, elle le paiera !

— Oh, cette tortue ! Elle m'avait dit que si j'allais avec toi ben, elle ne serait plus mon amie. Je savais plus comment faire, Tom ! J'avais pas envie qu'elle fasse des histoires !

— Allez, Lili ! On s'en fiche de tout ça ! On est ensemble maintenant ! Et c'est pas le moment de flancher !

À l'extérieur, les carnivores ne se sentaient plus.

— Victoire ! Victoire !

— Voilà notre nouveau capitaine ! a crié Renard en désignant Tortue. Hip ! Hip ! Hip !

— Hourra !

— Hip ! Hip ! Hip !

— Hourra !

Ils ont ri en nous insultant. Ils étaient grossiers et complètement débiles.

Puis Tortue a dit :

— Allez, on remonte ! On va faire la fête !

Cette idée les a fait crier encore plus fort. C'était le défoulement total ! Dès qu'ils ont été en haut, on a entendu des cris de détresse. C'étaient les poulets.

— Qu'est-ce qu'ils sont en train de manigancer ?

Girafe a retiré son cou de la fenêtre, ses yeux étaient révulsés. Elle a bégayé :

— Les pou... les pou... les poulets ! Ils plu... plu... plument les pou... pou...

Elle n'a pas réussi à dire sa phrase en entier mais on a tous compris. Ils s'attaquaient aux poulets !

— Alors là ! Ça va pas s'passer comme ça ! ai-je déclaré.

— On peut rien faire, Tom, ils sont tous devenus fous ! a déclaré Lili avec sa petite voix triste.

— Quoi ! On peut rien faire ? Alors ça, c'est vite dit ! lui ai-je répondu.

— Qu'est-ce que tu peux faire, toi ? Tu n'es qu'un petit garçon ! a marmonné Vache.

— Tu vas voir si je suis un petit garçon ! Allez, Lili, viens, on y va !

Je l'ai attrapée par la main et on a escaladé le cou de Girafe.

— Tiens-toi bien aux cornes, Lili.

Girafe a de nouveau passé la tête par la fenêtre et nous a soulevés presque jusqu'en haut de la grange, juste sous la terrasse. De là, bien installés sur son crâne, on a pu voir ce qui se passait sans être vus. Les carnivores avaient capturé tous les poulets et pendant que les uns les plumaient, les autres préparaient une rôtissoire avec la lampe à souder de Ferdinand.

— Hé ! Hé ! Ça sent bon, non ! Cinq minutes et c'est prêt, les gars !

Avec Lili, à l'affût derrière la balustrade, on en a eu le souffle coupé. J'ai essayé de m'avancer pour mieux voir et c'est alors que Tortue nous a repérés.

— Ooh ! Mais ce sont nos jeunes amis qui se sont fait la belle !

On s'est tout de suite recroquevillés, mais c'était trop tard. Tortue a continué :

— Et en plus... trouillards avec ça !

C'était insupportable ! J'ai bondi hors de ma cachette.

— Non ! On n'est pas des trouillards ! Mais toi, t'es vraiment une sale bête !

— Quoi, j'ai pas bien entendu ? a dit Tortue en haussant le ton.

— Une sale bête ! Parfaitement !

— Répète ça, blanc-bec !

Au lieu de lui dire ses quatre vérités, je lui ai craché à la figure.

Elle a réagi très violemment :

— J'en ai plein les bottes de ces petits morveux ! Clouez-moi ça au pilori, et que ça saute !

Tigre et Ours se sont lancés à nos trousses. Pas facile de leur échapper dans ce mouchoir de poche ! En deux temps, trois mouvements, on s'est retrouvés ligotés, avec Girafe, à un des piliers de la balustrade.

Comme je continuais à crier, Renard nous a collé du sparadrap sur la bouche.

— Vous allez la boucler, oui !

J'ai entendu Roger, l'éléphant, qui demandait :

— On peut savoir ce qui se passe là-haut ?

Renard s'est penché vers lui et a répondu :

— Toi ! Occupe-toi de tes affaires !

— T'as entendu comme il te parle ? a fait remarquer Denise.

— Ma femme et moi, nous aimerions savoir ce qui se passe sur ce bateau ! a dit Roger en détachant bien toutes les syllabes.

— Il s'passe, a rétorqué Tortue, que si vous ne la fermez pas, eh ben y aura du civet de trompe au dîner, ce soir !

Tortue s'est retournée vers les autres et leur a dit, soudain solennelle :

— Les amis, écoutez-moi ! Écoutez-moi ! On s'est débarrassés du capitaine. Bien ! Sa femme a dégagé avec lui. Très bien ! Mais il reste ces sales gosses. Ils sont de la famille des traîtres. On ne peut pas avoir confiance en eux, tous les humains sont pareils. Un jour ou l'autre, ils nous joueront un mauvais tour.

— Et... Et alors... Qu'est-ce que tu proposes ? a questionné Loup.

— Ben, il faut s'en débarrasser... Et au plus vite !

— Facile à dire ! Mais comment tu veux faire ?

— Ben, vous avez pas une petite idée ? a dit Tortue tout en feignant de se désintéresser de la discussion.

— On pourrait les !... Oh non ! Oh non ! On peut pas faire ça quand même ! s'est rétracté Renard.

— Vas-y, vas-y, vas-y, allez, dis-le ! Dis-le ! Mais vas-y, allez, dis-le...

— Ben, tu veux dire... qu'on pourrait les... On pourrait les... On pourrait les, les... les... Ah ! On pourrait les...

— Mais oui, les manger !

— Oui ! C'est ça ! Les manger !!! On pourrait les manger ! s'est étranglé Renard.

Lion a essayé de prendre notre défense :

— Attendez, attendez ! Les manger ! Mais vous marchez sur la tête, les gars !

— On n'peut pas faire une chose pareille ! a

ajouté Françoise, la chatte, qui s'était retrouvée avec les carnivores. Ce sont des enfants tout de même ! Mais vous êtes fous !

— Si elle est pas d'accord, la peluche, elle se casse, et puis c'est tout ! a tranché Loup qui avait hâte d'en finir.

Du coup, Françoise a quitté la terrasse en redressant la tête. Mais Bernard est resté. Un fameux dégonflé, celui-là !

Les autres se sont tous rangés à l'idée de Tortue, ils étaient les plus nombreux. Puis elle s'est avancée vers nous, les yeux injectés de sang, et nous a vomi, en ajoutant le geste à la parole :

— Demain matin : zi-gou-illés !

troisième partie

QUI DIT
LA VÉRITÉ ?

19

Le soir de la victoire des mutins, après un formidable festin au cours duquel tous les poulets furent dévorés, les carnivores s'endormirent, le ventre bien rebondi, vautrés sur le tas de pommes de terre. Ils ronflaient bruyamment.

C'est le moment que choisit Bernard, le chat, pour essayer de savoir ce qui avait bien pu se passer dans la tête de sa compagne quand elle n'avait pas voulu suivre la décision des autres carnivores. Il la rejoignit sur le rebord de la fenêtre.

— Alors ! Mais qu'est-ce qui t'a pris tout à l'heure, Françoise ?

— Tu le sais très bien ! répondit-elle sans se retourner.

— Mais quoi, enfin ?

— C'est répugnant ce que vous voulez faire.

— Écoute, ils ont raison, on est des carnivores, quand même !

— Mon pauvre ami, tu as déjà tout oublié, les peaux de saucisson, la soupe du soir, les genoux de Juliette...

— Mais...

— C'est eux qui t'ont recueilli, Bernard ! lui répondit-elle en lui coupant la parole, c'est chez eux qu'on s'est rencontrés, qu'on s'est aimés ! Ça ne compte pas, ça, pour toi ?

— Si, bien sûr ! acquiesça Bernard en rentrant la tête dans les épaules.

— Ben écoute, on dirait pas !

Après un long moment de silence, Françoise se retourna et lui dit, cette fois-ci avec plus de douceur :

— Tu sais ce qui bouge dans mon ventre ?

Bernard, honteux, s'approcha et se pencha sur le ventre de la future maman.

— Ouais... bien sûr !

— Bientôt nous aussi, nous aurons des enfants... As-tu seulement imaginé qu'on puisse faire ça à tes propres chatons ?

Bernard, tout penaud, l'oreille plaquée sur le ventre de sa compagne, fit son mea-culpa, miné par le remords :

— Oui, c'est vrai... C'est toi qui as raison !

*
* *

Cette nuit-là, j'ai fait un affreux cauchemar. Mon père et ma mère fuyaient, à la nage, poursuivis par une armée de crocodiles. C'était horrible ! Au moment où ils allaient se faire rattraper, je me suis réveillé, en nage, le cœur battant à m'en faire mal.

Tortue était plantée devant moi et m'observait avec un œil méprisant. Elle nous a braqué sa lampe de poche en pleine figure et a dit sur un ton pathétique :

— Pendant des siècles, les humains n'ont pas arrêté de nous persécuter, nous les tortues ! Pour nos carapaces, nos œufs, nos corps et nos chairs. Mais regardez donc ce qu'il reste de mon bras ! a-t-elle crié en montrant son membre amputé, on nous découpe en morceaux ! Un jour une patte, un jour la tête, on souffre le martyre des semaines entières, comme des conserves vivantes, avant d'être achevées par les crabes et ces charognes de mouettes !

Elle a continué de plus belle en nous postillonnant au visage :

— On a exterminé des familles entières de tortues dans le seul but de fabriquer des peignes avec nos carapaces ! On a souffert en silence, on n'a jamais dit un seul mot, on a fermé nos gueules ! Mais aujourd'hui, c'est terminé ! Terminé ! Grâce au déluge, j'ai enfin l'occasion dont j'ai rêvé toute ma vie ! Écoutez bien ce petit mot magique : Vengeance ! Vengeance ! Je vais tous vous éliminer, tous ! Un petit coup de lampe de poche...

Elle s'éclairait le visage par en dessous, ce qui lui donnait un air encore plus diabolique et, en riant aux éclats, comme une folle, elle a ajouté :

— Un petit coup de lampe de poche... et pouic ! Les crocos sont là ! Résultat : zéro survivant ! L'arme absolue ! Ma petite bombe atomique à moi !

Soudain elle a semblé se calmer et nous a glissé sournoisement :

— Je suis vraiment désolée pour vous !

Puis elle nous a tourné le dos. Elle a fait mine de partir, mais elle s'est retournée avec un air hypocrite :

Oh ! Une chose, encore..., a-t-elle dit en exhibant les œufs qu'elle camouflait sous sa carapace. Ces œufs-là... ce ne sont pas les miens ! Ce sont

ceux des crocodiles. Les derniers œufs de crocro-
diles ! Ces imbéciles ne peuvent pas pondre dans
l'eau, il leur faut de la terre ferme, et justement
avec le déluge, eh bien, il n'y a plus de terre ferme !

Elle était en plein délire. Elle jonglait avec les
œufs, elle pleurait, riait, criait, jubilait, tout à la
fois :

— Je leur ai volé la dernière ponte, leur espèce
est condamnée à disparaître pour toujours, pour
toujours ! Oh, je resterai seule ! Seule ! Avec rien
que Moi ! Je suis tout simplement géniale ! Rien ne
peut m'arrêter ! Rien ne peut m'arrêter !!!

Puis brusquement elle a disparu en roulant sur
elle-même.

Nous, on s'est tortillés comme on pouvait pour
défaire nos liens, mais Ours avait bien serré les
nœuds et rien n'y faisait.

*
* *

L'aube commençait à peine à poindre. Tortue
s'avança tout près du bord du toit et actionna la
lampe de poche pour envoyer des signaux. Les crocodiles ne tardèrent pas à se pointer à l'horizon. Ils
arrivaient par centaines...

Un peu après que Tortue nous a eu quittés, sans doute pour aller mettre ses menaces à exécution, Bernard s'est approché de nous tout doucement. On voyait bien qu'il était embêté et qu'il avait quelque chose à se faire pardonner. On a essayé de lui demander de l'aide mais, avec ce qu'on nous avait collé sur la bouche, le message ne passait pas.

— Fais quelque chose, Bernard ! Vite ! Délivre-nous, s'il te plaît ! tentais-je de lui faire comprendre.

Bernard ne comprenait rien à ce que je lui disais mais il a eu la bonne idée de m'enlever le sparadrap qui me collait les lèvres. Avec les dents, j'ai pu alors tirer sur le gros nœud et mes liens se sont détachés. Sans perdre une seconde, j'ai aidé Lili à se débarrasser des siens et nous nous sommes laissés glisser le long du cou de Girafe, comme s'il s'agissait d'une échelle de pompier, pour gagner le rez-de-chaussée et libérer les herbivores.

Tortue avait dû commencer à faire ses signaux lumineux car on a entendu soudain les éléphants hurler :

— Alerte ! Alerte ! Crocodiles droit devant !

— Ils foncent sur nous !

Sur le toit, Tortue criait elle aussi à s'en faire péter les cordes vocales :

— À l'attaque ! Par ici, mes mignons, par ici ! À l'attaque ! À l'attaque ! Vous les aurez tous ! Ils sont à vous !

*
* *

Lion se grattait le menton. Tigre s'interrogeait. Renard fronçait les sourcils. Il y avait quelque chose qui ne tournait pas rond. Les carnivores commençaient à comprendre le double jeu de Tortue.

— Hé, les gars ! Elle est du côté des crocos !

— Nom d'un putois ! On s'est fait avoir comme des bleus !

Les herbivores tremblaient de tous leurs membres, terrorisés à la vue des crocodiles qui n'étaient plus qu'à trente mètres du bateau.

*
* *

Une fois dans le garage, je me suis précipité sur le tracteur. Je me suis mis debout sur le siège du conducteur et j'ai annoncé à tous ceux qui se trouvaient là :

— Écoutez-moi ! Je vais essayer de faire démarrer ce tracteur !

— Bonne idée ! Vas-y, Tom ! s'est écriée Lili.

Ferdinand avait tout fait pour que le bateau puisse marcher. Il fallait fuir à tout prix, mais il restait un petit problème. Je ne savais pas comment m'y prendre. J'ai eu beau tourner la clef, appuyer sur tous les boutons, rien ne se passait.

— Mince, ça ne fait rien du tout !

— Les crocodiles arrivent ! a crié Cheval.

— Dépêche-toi, ils sont presque là !

Et cette Tortue qui continuait à exciter les crocodiles !

— Yah ! Yah ! criait-elle. À la bonne sousoupe ! Il y en aura pour tout le monde. Allez ! Allez !

*
* *

Les paroles de Tortue ne prêtaient plus à confusion. Cette fois-ci, Lion sortit de ses gonds, il bondit sur l'échelle d'un air décidé avec la ferme intention de lui demander des comptes.

— Moi, je commence à en avoir ras la crinière de cette tortue !

— Moi, c'est pareil ! Elle me frise les rayures ! ajouta Tigre.

Toute la bande des carnivores emboîta le pas et grimpa sur le toit.

— Des jambons, des cuisseaux, des côtelettes, des museaux... Venez vous régaler, mes p'tits chéris ! continua Tortue, qui ne vit pas arriver le danger, trop occupée à stimuler les assaillants.

Les crocodiles étaient maintenant à moins de dix mètres de l'Arche et le moteur ne voulait toujours pas démarrer...

— Ils vont nous atteindre ! hurla Girafe.

Et soudain les carnivores surgirent dans le dos de Tortue.

*
* *

J'avais tout essayé et je n'arrivais pas à mettre en route cet engin de malheur qui ne voulait rien savoir.

— Mais comment on fait ! ? Ça démarre toujours pas !

Quand je tournais la clef, on entendait bien le démarreur grincer, toussoter, et même pétarader, mais ça s'arrêtait là. Ça a fini par me porter sur les nerfs. Alors je me suis laissé aller à imiter mon père. La moutarde m'est subitement montée au nez et j'ai frappé à coups de poing sur le volant tout en envoyant des coups de pied dans la tôle du carter.

— Mille patates de mille patates ! Tu vas démarrer, oui ! Vieille casserole ! Allez ! Allez ! Allez ! Démarre ! Démarre !

Après quoi, j'ai encore tourné la clef dans tous les sens. On a entendu deux formidables explosions et le moteur s'est tout à coup mis à tourner en expulsant de grands jets de fumée noire. C'était tout bête, il fallait tourner la clef à l'envers ! Alors l'engin a vibré sous mes fesses. J'étais fier. J'ai guetté le regard de Lili. Comme moi, elle était soulagée. Mais nous n'étions pas sauvés pour autant !

*
* *

Sur le toit, les carnivores, en file indienne, s'approchaient de plus en plus de Tortue, ils étaient même sur le point de l'attraper quand ils furent surpris par l'épais nuage qui s'était soudain mis à sortir de la cheminée. Ils firent alors volte-face. Tortue se retourna et comprit la menace. Mais elle était prise au piège, il n'y avait que le vide derrière elle !

142

*
* *

— Passe une vitesse, Tom ! Allez !

— Ben justement, c'est ce que j'essaie de faire !

Je tirais à deux mains la manette qui se trouvait devant moi. Vu le grincement qui s'est produit à ce moment-là, je peux vous dire que le moteur n'a pas aimé ! Le crissement nous a fait mal aux oreilles. En même temps, j'ai appuyé sur l'accélérateur en essayant de faire comme Ferdinand. L'axe a bougé et les pelles se sont mises en mouvement.

— Ouais, il a réussi !

*
* *

À l'enclenchement de la vitesse, le bateau reçut une vigoureuse secousse. Sur le toit, les carnivores furent déséquilibrés juste au moment où ils allaient mettre la main sur Tortue.

L'Arche prit de la vitesse mais ne se dirigea pas là où l'on voulait qu'elle aille. Tous les animaux se mirent à hurler :

— Mais qu'est-ce que vous faites ? On fonce tout droit sur les crocos !

— Arrêtez ! Arrêtez !

— Marche arrière !

— On va droit sur eux !

— Arrière toute !

*
* *

— Marche arrière, Tom ! m'a crié Lili.

Le bateau s'était bien mis à avancer mais malheureusement dans la mauvaise direction, du côté des crocodiles. Pris de panique, Vache, Cheval, Zèbre et les frères Cochon se sont précipités pour refermer les portes et les ont maintenues bloquées.

Voyant ça, j'ai freiné et manœuvré le levier de vitesse dans tous les sens pour passer la marche arrière. Les dents ont de nouveau méchamment grincé. Les feux de recul se sont allumés : « bip, bip, bip, bip... » J'ai tourné le volant à fond et appuyé de toutes mes forces sur la pédale de l'accélérateur... L'Arche a fait un quart de tour.

Je commençais à comprendre comment il fallait actionner le levier. Après ça, les pelles sont reparties en sens inverse, frappant l'eau fermement. J'ai tourné le volant, cette fois-ci dans l'autre sens, la vitesse s'est enclenchée plus facilement et après quelques embardées du moteur, l'Arche s'est cabrée en arrière et j'ai poussé les gaz à fond.

*
* *

Avec la force de l'accélération, tous ceux qui se trouvaient sur le toit furent déstabilisés. Il n'y avait plus personne debout ! Les carnivores et Tortue dérapèrent et tombèrent dans le vide en poussant des cris de détresse. Ils se rattrapèrent tous les uns aux autres par la queue, face à la paroi. Et Renard retint toute la bande avec ses seules griffes plantées dans le rebord du toit. Tortue pendouillait au bout du chapelet vivant. Elle réussit même à rattraper au vol avec son bec la lampe de poche qui venait de tomber.

*
* *

Cette fois le bateau s'est avancé dans la bonne direction. L'Arche s'est éloignée, poursuivie par les crocodiles.

— On n'est pas sortis de l'auberge, s'est écriée

Girafe, les crocodiles sont toujours derrière ! Plus vite, Tom !

Moi, je pressais de toutes mes forces sur l'accélérateur, debout, avec les deux pieds. Le moteur faisait un boucan de tous les diables.

— J'suis à fond ! J'peux pas plus !

Quant aux crocodiles, ils ont accéléré l'allure, et ont réussi à regagner le terrain perdu. Girafe, horrifiée, a rentré le cou à l'intérieur.

— Je... Je... Je... Je ne peux pas regarder ! J'ai trop la frousse !

*
* *

Pendant ce temps, lampe de poche serrée entre les dents, Tortue remontait sur le toit en s'agrippant à ses compagnons d'infortune. Après avoir repris pied sur le toit, elle se retourna vers Renard crispé sur sa prise. Le poids était trop lourd et ses griffes glissaient irrésistiblement. Pour accélérer la chute, Tortue écrasa les phalanges de Renard à grands coups de lampe de poche.

Juste en dessous, les crocodiles, qui avaient enfin rejoint le bateau, ouvraient de larges gueules, attendant qu'on leur livre leur petit déjeuner. Les griffes de Renard cédèrent l'une après l'autre et finirent par lâcher prise. C'était la chute !

— Allez au diable ! cria Tortue.

En passant devant le premier étage, les carnivores parvinrent à se raccrocher aux queues des éléphants.

— Aie ! Ouille ! hurla Denise.

— Foutez le camp ! renchérit Roger.

Et le bateau continua sa course-poursuite avec, à la traîne, son cortège de malheureuses bêtes accrochées à la queue des éléphants – lesquelles retroussaient leurs fesses pour échapper aux puissantes mâchoires qui tentaient de les déchiqueter.

20

Pendant ce temps, Juliette, épuisée, s'était endormie sur la poitrine de Ferdinand désespérément inconscient depuis le jour du drame. Elle avait tout essayé pour tirer son mari du coma dans lequel il avait sombré après sa chute du bateau, hélas en vain. Ils flottaient tous deux au milieu de l'immensité, à l'intérieur du tonneau qui les avait sauvés de la noyade.

Ferdinand, cligna des yeux et se redressa, hébété :

— Oh ! Ju... Ju... liette !

Il se frotta le visage puis le crâne et découvrit,

en faisant la grimace, la bosse qui avait poussé sur le haut de son front.

— Qu'est-ce... Qu'est-ce qui m'est arrivé ?

Juliette s'éveilla à son tour et se jeta dans les bras de son mari, tellement heureuse de le retrouver vivant.

— Koko Matondo ! Merci Grand-mère ! Akiba ! Kiba ! Kiba ! Tu es là, Ferdi ! Tu es revenu ! Tu es là ! disait-elle en pleurant et riant à la fois.

Ils se serrèrent un bon moment l'un contre l'autre, comme jamais ils ne l'avaient fait.

— Attention, Ferdi, tu vas m'étouffer !

Mais Ferdinand était intrigué par un petit point noir qui semblait venir de l'horizon, s'avançant vers eux.

— Bon sang ! Mais qu'est-ce que c'est que ça ? Juliette !... C'est... C'est notre grange ! Mais c'est notre bateau ! s'écria soudain Ferdinand, debout dans le tonneau qui se mit à tanguer dangereusement. Juliette ! Regarde !

C'était bien l'Arche qui voguait dans leur direction. Juliette et Ferdinand, au comble de l'excitation, criaient et faisaient de grands signes.

— Hé ! Oh ! On est là ! Ouh ! Ouh !

— You-you-you-you !

Sur l'Arche, Tortue était en train de longer la faî-
tière, se dirigeant vers la cheminée d'échappement
des gaz du tracteur. Un dernier effort et elle par-
vint au sommet du tuyau. Soudain la cruauté
déforma son visage. Dans l'orifice, elle introduisit
la lampe de poche, qui dégringola jusqu'en bas, à
l'intérieur du moteur.

L'effet fut immédiat, la machine se mit à vibrer...
Les phares s'allumèrent... Des bruits inquiétants
s'échappèrent de la mécanique salement ébranlée...
Un voyant rouge se mit à clignoter au tableau de
bord... De la fumée grise sortit de tout côté...

L'Arche arrivait à pleine vitesse, en droite ligne,
sur Juliette et Ferdinand qui criaient à pleins poumons. Personne ne pouvait les remarquer et encore
moins les entendre car leurs cris étaient largement
couverts par le bruit assourdissant qui venait du
moteur.

— Wouahh ! Oh ! Hé ! You-you-you !

— Ah ! Mais bon sang ! réalisa tout à coup Ferdinand, on nous fonce droit dessus !

— Hé ! Holà ! Mais arrêtez ! Non !

Ferdinand écarta tout grand ses deux bras.

— Ssssstop ! Virez de bord ! Toutes ! Ssssstop !

Peine perdue, personne ne les voyait ! Au dernier moment, Juliette et Ferdinand plongèrent chacun de son côté. Le tonneau fut pulvérisé. Le bateau continua sur sa lancée, entraînant la baignoire arrimée à l'arrière. Ferdinand et Juliette s'y accrochèrent in extremis et se hissèrent à bord. Les crocodiles étaient à deux brasses à peine.

Du haut du toit, Tortue observait la scène avec un rictus mauvais. Calculant sa trajectoire, elle se laissa tomber dans le vide juste au niveau de la corde tendue qui retenait la baignoire et attrapa celle-ci au vol. Elle se rétablit et, d'un coup de dent, cisailla le lien. Tout se passa à la vitesse d'un éclair, Juliette et Ferdinand n'eurent pas le temps de comprendre ce qui leur arrivait que déjà le bateau s'éloignait... et leur espoir de retrouver les enfants avec. Ils restèrent bouche bée.

Avec la vitesse, ils furent rapidement distancés.

Aussitôt, les crocodiles passèrent de part et d'autre de la baignoire, continuant leur poursuite endiablée.

À l'arrière de l'Arche, Loup, accroché en première position à la queue de Roger, sentit soudain que ses griffes commençaient à glisser.

— J'tiens plus ! Vous êtes trop lourds ! J'tiens plus !

— Déconne pas ! cria Renard, t'as vu ce qui nous attend en bas !

Les crocodiles se dressèrent violemment hors des flots, claquant des mâchoires avec une sauvagerie indescriptible. Déjà la moitié de la queue de Tigre était tailladée !

*
* *

J'étais aux commandes d'un engin qui ne répondait plus, complètement débordé par la situation. Le voyant rouge a clignoté de plus belle, accompagné d'un signal sonore de détresse. Le tracteur cabriolait sur place.

Lili, qui avait passé sa tête par la fenêtre, m'a crié encore une fois :

— Ils sont tout près, Tom !

Je lui ai répondu que je ne pouvais rien faire de plus.

— Ça vibre trop ! On dirait que ça va éclater !

Autour de moi, les herbivores étaient secoués violemment. Les dents claquaient. J'étais comme au rodéo, chevauchant un taureau sauvage. Je me cramponnais comme je pouvais au volant, pour ne pas être éjecté, quand j'ai vu le bouchon du radiateur se dévisser.

Impossible de rester en place, ça bougeait trop ! J'avais les fesses en compote à force de rebondir sur le siège métallique. Tout dérivait sur le plancher, objets et animaux se bousculaient, s'entrechoquaient. Quel chambardement ! Seul un tremblement de terre pourrait donner une idée de ce qu'on a vécu à ce moment-là.

Quand le bouchon du radiateur a été complètement dévissé, il a sauté en l'air. Et tout a explosé ! Un énorme nuage de vapeur s'est échappé d'un coup dans un sifflement strident. Les deux battants de la porte ont été arrachés sous la pression, les aubes se sont arrêtées net et l'Arche a fini par s'immobiliser.

J'ai sauté de mon siège et me suis précipité à l'avant du tracteur. J'ai soulevé le capot en me brûlant les doigts. La lampe de poche, qui ne ressemblait plus à rien, s'est écrasée à mes pieds avec quelques boulons. C'était pas beau à voir ! La moitié du moteur avait fondu.

C'est le moment que Tortue a choisi pour réapparaître, toute dégoulinante d'eau et de méchanceté. Elle a éclaté de rire.

— La récréation est terminée !

Puis, se tournant vers les crocodiles, elle a ajouté :

— Maintenant, ils sont à vous !

Les crocodiles encerclaient le bateau ; ils arrivaient toujours plus nombreux...

— Allez-y, les crocos ! Maintenant, ils sont à vous ! Puis, en pointant son doigt sur nous :

— Ce sont eux qui ont volé vos œufs, vos derniers œufs, vos enfants, toute votre descendance !

— C'est pas vrai, elle dit n'importe quoi ! a répliqué Lili.

— Bien sûr, maintenant que les crocodiles sont là, la gamine va inventer une belle histoire et chercher à vous embobiner !

Les crocodiles se sont avancés en fronçant les sourcils.

Au-dessus de nos têtes, j'ai entendu Denise dire sévèrement à son mari :

— Là, je crois qu'il faut que tu fasses quelque chose, Roger. La p'tite a besoin qu'on l'aide !

— Oui, mais tu sais bien que je suis allergique aux tortues !

— Ah ça, c'est pas vrai ! on est dans la mouise jusqu'au cou et toi tu la ramènes avec ton allergie ! T'es un pachyderme ou quoi ?

— Bon ben, tu l'auras voulu... Si j'ai des boutons sur la trompe, tu viendras pas pleurer !

Devant moi, Tortue continuait à harceler les crocodiles pour qu'ils grimpent à bord.

— Vos œufs sont bien ici, sur ce bateau ! Intacts ! Grâce à moi, vous allez les retrouver ! Mais d'abord, réduisez-moi tout ce beau monde en steaks hachés !

Roger a tendu sa trompe en direction de la tortue et a aspiré sa carapace comme une ventouse. Tortue s'est cramponnée solidement à l'oreille de Vache.

— Lâche-moi, gros sac ! Lâche-moi tout de suite !

Roger continuait malgré tout à tirer sur la carapace. Vache meuglait de douleur. Et Tortue insultait son agresseur :

— Tu comprends le français, gros lard ! Lâche-moi, j'te dis ! Arrête ! Arrête ! Tu m'fais mal ! Mais t'es bourré ou quoi ! Oh, la charogne ! Aïe ! Aïe !

L'éléphant a tiré de toutes ses forces. À la fin, la coque s'est carrément arrachée et Tortue s'est retrouvée toute nue, comme une larve. On a applaudi comme des fous.

— Ma carapace ! s'est mise à pleurer Tortue, il m'a arraché ma carapace ! Mais il est complètement siphonné, celui-là ! Espèce d'enflure ! Arracher sa carapace à une tortue ! Assassin ! Assassin ! Rendez-moi ma carapace !

Roger a secoué sa trompe. Les trois œufs ont dégringolé, rattrapés au vol par Tortue qui les a vite placés devant son ventre pour cacher sa nudité.

— Et ça, qu'est-ce que c'est ? a demandé Lili. Tu peux dire à tout le monde d'où viennent ces œufs ?

— Mais vous êtes complètement tarés ! Ce sont les miens !

— Ah non, non ! me suis-je indigné, ça, c'est les œufs qu'elle a volés aux crocodiles.

— Alors ça ! s'est étranglée Tortue, ce sont les œufs que j'ai pondus ! Ils sont sortis de mon ventre ! Je suis leur mère !

Cette tortue faisait preuve d'un culot extraordinaire. Elle aurait dit n'importe quoi pour sauver sa peau. Comme les crocodiles hésitaient encore, elle a porté les œufs au ciel comme une offrande.

— Mais ces gosses inventent comme ils respirent ! Vous ne voyez donc pas !

Du coup tout le monde a bien vu son sexe. Elle avait un zizi de garçon !

— C'est un mâle !

— Alors là, elle nous a encore bien eus, c'est pas une femelle !

Et soudain Tortue a piqué un fard en réalisant

qu'elle était toute nue devant nous. Elle a encore tenté de nous embobiner :

— Ben... Ben... C'est-à-dire que... Chez les tortues... Vous voyez... Heu !... Ce sont les mâles qui pondent les œufs.

— Mais c'est impossible, a répliqué Françoise, il n'y a que les femelles qui pondent !

— C'est une affaire de nanas, pas de mecs !

— Là, faut que tu trouves autre chose, coco, a dit Renard, parce que ton baratin, ça tient pas debout !

— Elle nous bourre le crâne, c'est clair !

— Attendez, attendez ! Je vais tout vous expliquer, a repris Tortue. Normalement... Euh... Je suis d'accord avec vous ! Euh... C'est les femelles qui... qui pondent. Mais dans mon cas. Euh... Euh...

— Ouais c'est ça, explique ton cas !

Roger retenait toujours la carapace de Tortue, collée au bout de sa trompe. Ça lui a soudain déclenché une sérieuse crise d'allergie. Sa tête s'est boursouflée, ses yeux se sont mis à rouler, il s'agitait en tout sens, visiblement mal en point... Sa trompe était gonflée, parsemée de boutons rougeâtres. Il se retenait...

*
* *

Pendant que Tortue essayait encore de démontrer que les œufs étaient bien les siens, les coquilles se sont fendues dans ses pattes et les bébés crocodiles qui en sont sortis se sont immédiatement jetés sur elle pour lui mordre le museau.

Tortue s'est mise à crier, à hurler de douleur.

— Ah, non ! Pas ça ! Non ! Haaaaa ! Hiiiii !

Pour la première fois, elle s'est retrouvée à court d'arguments, elle était humiliée et pitoyable. Alors une rumeur est montée du bateau, une rumeur sourde au début et qui s'est amplifiée jusqu'aux hurlements :

— Ordure ! Ordure ! Ordure ! Ordure ! Ordure ! Ordure !

Roger était complètement bloqué, en phase d'inspiration maximale, visage écarlate, yeux révulsés. La crise d'allergie allait produire quelque chose de forcément épouvantable.

— Contrôle-toi, Roger ! Contrôle-toi !

— J'voudrais bien t'y voir ! dit Roger qui ne pouvait plus se retenir. Je vais étern...

— Retiens-toi ! a ordonné Denise.

— Je peux pas. Je te dis que je peux pas !

Ce qui devait arriver est arrivé, Roger a éternué

159

si violemment que la carapace de Tortue a été pro-
jetée à plus de deux cents mètres dans l'eau. Un cri
déchirant est sorti de la bouche de Tortue :

— Ma carapace !!! Ma carapace !!!

Haro sur Tortue ! Les quolibets et les railleries
se sont vite transformés en cris de haine puis en
désir de vengeance. La tension montait. On était
au bord du lynchage. Tortue se décomposa, pâle
comme un linge.

*
* *

Avec Lili, quand on a vu comment ça tournait,
on s'est reculés un peu. On ne pouvait pas hurler
avec les autres. C'était insupportable de voir tant
d'agressivité, aussi on a pris nos distances.

C'est alors que Renard a tendu un doigt vengeur
en direction de Tortue.

— Alors, qu'est-ce qu'on fait de cette pourri-
ture ? a-t-il demandé.

— On pourrait lui couper la langue pour qu'elle
puisse plus mentir !

— Oh non ! C'est trop gentil ! Après ce qu'elle
nous a fait ! Il faut qu'elle morfle !

— Alors, on la jette aux crocodiles !

— Oh, les crocos ! Vous la voulez ?

Les crocodiles se sont avancés en bavant de colère.

— Envoyez, c'est sûr ! On est preneurs !

— Attendez, attendez ! ont réclamé les frères Cochon, on la coupe en p'tits morceaux, d'abord !

Ils avaient tous une solution, plus cruelle l'une que l'autre, même Denise voulait qu'on la réduise en bouillie pour faire de la soupe.

— À mort ! Vengeance ! À mort ! À mort !

Ils l'ont tous encerclée, les griffes se sont approchées, les crocs se sont mis à scintiller, les yeux lançaient des étincelles...

— Pitié ! Pitié ! Oh ! Pitié... Pardon ! suppliait Tortue, à genoux.

Elle tremblait comme une feuille, mais les autres n'entendaient rien et n'avaient qu'une idée en tête, lui régler son compte une fois pour toutes.

21

Soudain, juste avant l'irréparable, une voix lointaine s'est fait entendre. Surprise ! Bondissant de crocodile en crocodile, et venant de je ne sais où, Ferdinand a surgi au beau milieu du drame.

— Stop ! Stop ! Top ! Top ! On arrête tout ! Tout ! Plus personne ne bouge !

Les animaux se sont immobilisés comme si un sort les avait frappés. Mon père était là, comme ça, tout d'un coup. Ça, c'était fort !

Le premier geste de Ferdinand en grimpant sur le bateau a été de nous prendre dans ses bras et de nous faire tourner en pleurant de joie. Je me suis soudain senti léger, soulagé et terriblement heureux, comme ça n'arrive presque jamais.

— Tom ! Lili !

— Papa !

— Grand-père !

— Tout va bien ? Ah, les enfants ! Mes enfants !

Juliette est tout de suite arrivée derrière Ferdinand. Elle nous a observés un instant du coin de l'œil, avec un large sourire qui racontait son bonheur.

— Hé ! Hé ! On ne dit plus bonjour, les enfants !

On a quitté les bras de Ferdinand pour courir nous jeter dans ceux de Juliette. Maman nous a reçus, un genou au sol pour résister au choc. On s'est enlacés. On a pleuré beaucoup. On a ri aussi.

— Akiva zame ! Ça va ? Vous n'avez rien ? Oh ! Je vous aime ! Mon Tom ! Ma Lili ! Comme je vous aime !

— Maman ! Ma petite maman !

Les animaux n'avaient pas bougé d'un pouce. Le retour de mes parents les avaient pétrifiés. Puis au bout d'un moment, Cheval a toussoté discrètement dans son sabot en disant :

— C'est bon, là ? On peut lui faire la peau, maintenant ?

J'ai cru que mon père allait s'étrangler,

164

— Lui faire la peau ! La tuer ! C'est bien ça ?

— Ben, on peut pas faire plus ! a répondu Renard.

— Décidément, vous êtes vraiment indécrottables ! Mais de quel droit pouvez-vous imaginer faire une chose pareille ? Allez, allez, qu'on me le dise ! Messieurs les juges, messieurs les bourreaux, qu'on m'explique. Allez ! Allez !

Tous les animaux ont baissé qui la truffe, qui le mufle, qui le groin et qui le museau.

— Ils ont raison, qu'on en finisse quoi ! a cru bon d'ajouter Tortue.

— Toi, n'en rajoute pas, s'est écrié mon père, c'est déjà assez compliqué comme ça ! Qu'est-ce que t'as gagné dans cette histoire, une coupe de limace !... Tu n'es plus rien... rien ! Puis se tournant vers les autres :

— La brutalité, la violence, vous n'avez que ça pour résoudre vos problèmes ?

Les cinq carnivores n'en menaient pas large. Ils attendaient que l'orage passe en ne sachant plus où placer leurs pattes.

— Capitaine, a fini par lâcher Lion, on voulait vous dire... euh... qu'on s'excuse, quoi !

— On ne sait pas ce qui nous a pris... On vous demande pardon, a chuchoté Renard.

— Ben y manquerait plus que ça ! J'en ai rien à

cirer de vos pardons. Je vais vous dire, moi, ce que vous êtes...

— On le sait : des minables.

— Des couillons, oui ! Une bande de cornichons avec du yaourt dans la cervelle ! Vous voyez où vous en êtes arrivés avec vos conneries ! Vous avez tout fichu en l'air. Ah là là ! Encore heureux qu'il n'y ait pas eu de morts !

Il avait dit ce qu'il ne fallait pas dire. Il y a eu un silence gêné. Les carnivores se sont interrogés du regard, ils m'ont même fait un signe de tête pour que je les aide à s'expliquer. Moi, j'ai fait celui qui ne comprenait pas. J'étais curieux de savoir comment ils allaient se sortir du pétrin dans lequel ils s'étaient fourrés. Lion était dans ses petits souliers, il a avalé sa salive :

— Ben, c'est-à-dire que... justement...

— Quoi ? Quoi ? Quoi ? Justement ? Justement quoi ?

— Ben... y a... y a l'histoire... des poulets, quoi !

— Quelle histoire ? Quels poulets ?

— Ben... on avait trop faim ! a fini par lâcher Renard.

Ferdinand a passé plusieurs fois sa grosse main sur son visage. Avec Juliette et Lili, on s'attendait au pire. Puis j'ai vu mon père devenir rouge vif et exploser :

— C'est pas possible ! Non mais c'est pas possible ! Dites-moi que c'est pas possible ! Mais sacré nom de nom de vieilles casseroles percées ! Ah mais non, là, vous êtes les rois ! Rien à dire... rien, rien à dire !

Il s'est retourné comme pour reprendre son souffle et il a ajouté avec un calme qui nous a tous surpris :

— D'ailleurs, j'me tais, voilà !

Ses bras sont tombés mollement sur ses cuisses et il a tourné les talons.

Les carnivores étaient très embarrassés. Fallait-il bouger ou dire quelque chose ? Ils étaient comme des statues, ridicules et pathétiques.

Ce soir-là, sur la terrasse, dans mon hamac, j'ai repensé au bonheur que nous avions enfin d'être tous réunis. On n'avait pas beaucoup dormi ces derniers jours et je bâillais sans arrêt. Juliette nous a raconté un de ces contes africains dont elle a le secret. La chance était de nouveau de notre côté !

Mais Ferdinand continuait de marmonner dans sa barbe devant la balustrade, démoralisé.

— Déjà qu'on n'était pas très nombreux sur ce bateau ! Ils n'ont pas pu se retenir et maintenant il n'y aura plus jamais de poulets, plus de coqs, plus de poussins, plus d'œufs ! On a encore réduit nos

169

chances de survie. Ah ! Yaï ! Yaï ! Yaï ! La vie, c'est tellement peu de choses, on a tous besoin les uns des autres ! Mais comment le leur faire comprendre ?

— C'est cette tortue, Papa ! C'était vraiment une sale bête ! ai-je dit.

— Une sale bête ! Ah ça, c'est sûr ! a ajouté Lili en bâillant elle aussi.

— En plus, c'est elle qui a monté les crocodiles contre nous !

— Elle a dit qu'elle voulait se venger.

— Vous savez, mes enfants, quelle que soit la souffrance que l'on peut ressentir au fond de soi, rien ne peut justifier la vengeance. Ceux qui prennent ce chemin-là ne peuvent finir que... que... maboules !

— C'est vrai, ils étaient tous devenus comme des fous !

— Quand on allume le feu de la violence..., s'est emporté mon père qui n'arrivait plus à trouver ses mots.

C'est Juliette qui a dû finir sa phrase :

— On ne sait jamais comment ça va s'éteindre !

— Parfaitement ! C'est la pire des choses ! Merci, Juliette !

— Ça ! Ne l'oubliez jamais, les enfants !

De toutes les manières, on n'était pas près d'oublier ce qu'on venait de vivre.

— T'as vu avec le tracteur, Papa ? Je me suis bien débrouillé, hein ?

— T'as été vraiment formidable, Tom ! a dit Lili en se tournant vers moi affectueusement.

La façon qu'elle a eue de dire cette phrase et le sourire qu'elle a fait m'ont complètement troublé.

— Tu sais, j'aurais rien pu faire sans toi !

— Allez, on reparlera de tout ça demain. Maintenant, dodo ! a conclu mon père. On a tous besoin de dormir.

Moi, je lui ai dit : « Bonne nuit, Papa ! », ça m'a échappé. Ferdinand, lui, a tout de suite relevé.

— Papa ! Tu m'appelles Papa maintenant ?

J'ai rien pu lui répondre. C'était la première fois que ça me venait naturellement. J'étais heureux de lui avoir dit Papa et en même temps je me sentais un peu bête. Je crois lui avoir souri comme un niais. En tout cas, depuis ce jour, je n'ai jamais pu lui redire Grand-père. Il était devenu mon papa. Plus tard, Ferdinand m'a avoué que c'était le plus beau cadeau que je pouvais lui faire. Mais sur le moment il n'a su que me dire :

— Bon, ben il faudra que je m'habitue... Allez viens, fiston !

Puis il m'a pris dans ses bras. Je m'y suis blotti

comme un chaton sous le ventre de sa mère. C'était le grand bonheur.

— Papa ! Mon Papa chéri !

— Tom ! Oh, mon tout p'tit !

Puis Ferdinand est allé prendre sa guitare et a chanté, tout doucement, cette chanson mélancolique.

La douceur du soir,
Quand le vent est tombé,
Nous raconte l'histoire
Des marins esseulés.

Aurai-je un fils,
Un p'tit garçon, un jour ?
Aurai-je un fils,
Un enfant d'amour ?

Tortue s'était réfugiée dans un coin du bateau. Elle semblait si misérable qu'elle faisait presque pitié. Elle n'était pas près de faire de nouveau du mal. Les éléphants se sont balancés en rythme et la plupart des animaux ont accompagné Ferdinand bouche fermée. Même les crocodiles, avec leurs petits, flottant entre deux eaux, ont marqué la cadence. C'était beau !

23

Le lendemain matin, un brouillard épais avait recouvert l'Arche. On n'y voyait pas à deux mètres. Lili n'était déjà plus dans son hamac. J'ai trouvé ça bizarre parce que, d'habitude, c'est moi qui me levais le premier. Ma mère et mon père ne l'avaient pas vue non plus. Et puis j'ai entendu :

— Je suis sur le toit ! Viens !

Je l'ai rejointe à tâtons par l'échelle qui était toute glissante. Lili était assise au bout du toit, silencieuse. Je me suis accroupi à côté d'elle et on est restés assez longtemps comme ça, sans parler, à regarder rien du tout.

Au bout d'un moment, ça devenait gênant, je lui ai dit :

— On est bien ensemble, Lili, non ?

Au lieu de me répondre elle a lâché :

— Dis, Tom ! Au fait... tu me dis maintenant avec qui tu voulais te marier ?

Ça m'a un peu surpris. J'ai pas eu envie de lui répondre tout de suite.

— Ben, devine !

— Heu ! J'en sais rien. J'la connais ?

— Peut-être, lui ai-je répondu en regardant de l'autre côté.

Elle s'est approchée de moi. J'ai senti son souffle doux et chaud dans mon cou et, vous n'allez pas me croire, elle m'a donné un petit baiser. J'ai cru que mon cœur allait s'arrêter. Et puis tout de suite après, elle a changé de conversation comme si elle regrettait déjà ce qu'elle venait de faire.

— Bon, ça va ! Allez ! J'ai plus envie de cher-cher. On joue à ni oui ni non ?

— Ouais, d'accord !

— Perdu !

— Pourquoi j'ai perdu ?

— Eh ben, t'as dit oui !

— Non.

— Perdu encore !

— Oh ! C'est d'la triche ! On n'avait pas encore commencé de jouer !

À ce moment-là, Juliette nous a crié d'en bas :

— Tom ! Lili ! Venez vite ! La chatte a fait ses petits !

On s'est redressés exactement ensemble et on s'est précipités sur l'échelle pour descendre. Je l'ai laissée passer la première.

Tout le monde s'est retrouvé au garage autour de Françoise, notre chatte, qui avait accouché de trois jolis petits chatons.

— Celui-là, c'est son père tout craché ! s'est moquée Beline.

— Ah çà, tout craché son père ! a acquiescé un des frères Cochon.

— Je dirai même plus, son père tout craché ! a répété son jumeau.

— Ouais ! Sauf les rayures quand même ! a fait remarquer Lion.

C'était vrai, ni son père si sa mère n'étaient tigrés. Ça nous a paru soudainement un peu anormal. Renard et Loup se sont mis à ricaner bêtement et Lion s'est tourné vers Tigre avec un petit air suspicieux. Malgré son pelage, Tigre a démenti catégoriquement avoir quelque chose à voir avec les zébrures du minou, indiquant que s'il fallait accuser quelqu'un, on n'avait qu'à chercher du côté de Zèbre.

— Ça va bien dans vos têtes, les gars ? a protesté ce dernier.

On a bien ri, sauf Bernard et Zèbre qui ne savaient plus où se mettre. Lili a pris dans ses bras un des chatons.

— Oh, qu'il est p'tit... Il est trop mignon !

— Alors comment on va les appeler, ces petits chats ? a demandé joyeusement Juliette.

— Les enfants vont bien leur trouver de jolis noms, a suggéré Bernard.

— J'sais pas... Ah oui ! Mistinguett ! Je suis sûre que c'est une fille ! s'est écriée Lili en portant le petit animal près de son cou.

Françoise lui a roulé des yeux pleins de tendresse.

Moi j'ai attrapé le chaton tigré.

— Et lui, ça sera Code-Barre ! Je vais lui apprendre la bagarre !

Ferdinand s'est emparé du troisième chaton, par la peau du cou. Comme il avait le menton tout blanc, mon père a dit :

— Et le dernier, on l'appellera Noé. Là, on est presque obligés.

On a encore rigolé. Qu'est-ce que ça faisait du

bien de rire. Tous les animaux étaient présents à cette petite cérémonie de baptême improvisée. Même Roger et Denise se sont approchés des portes et ont tendu la trompe.

— Hé ! On peut voir, nous aussi ? a dit Roger

— Vous pouvez vous pousser un tout petit peu ? a renchéri Denise.

Ferdinand s'est retourné, éberlué :

— Qu'est-ce que vous faites là, vous autres ?

— Ben, rien ! On vient juste voir ce qui se passe, c'est tout !

— Mais comment avez-vous fait pour arriver jusque-là ?

— On a fait le tour, tiens ! On nous cache toujours tout.

— Comme on était posés, on s'est dit que...

Ferdinand leur a coupé la parole et s'est avancé vers eux :

— Attendez ! Posés ?... Le tour ?... Hé là, pas si vite ! Poussez-vous !

Les deux éléphants se sont écartés. Ferdinand est passé derrière eux pour sortir du garage et il a cherché à apercevoir quelque chose à travers le brouillard. Tout à coup, il s'est mis à crier, exalté :

— Tonnerre de Brest ! Y a du dur là-dessous ! On est posés ! Jetez l'ancre ! Fixez les amarres ! On est arrivés !

Je n'ai pas tout de suite compris. C'était trop beau pour être vrai ! *Arrivés* ! Est-ce que ça voulait dire que le déluge était fini ?

C'est ma mère qui m'a expliqué, j'avais de la peine à réaliser.

— Regarde, Tom ! Ça y est ! C'est fini ! On est sauvés, les enfants ! Merci ! Merci, Grand-mère ! Akiva zame ! Akiva !

Tout le monde a sauté de joie. J'ai même fait un pas de danse avec Lili. Les deux éléphants ont poussé un barrissement phénoménal. En réponse, j'ai entendu dans le lointain un bruit indéfinissable.

— T'as entendu, Papa !

— Taisez-vous ! Taisez-vous ! Taisez-vous ! a demandé avec insistance Ferdinand. Silence ! Chut ! Écoutez ! Mais oui... on dirait une... Oui, c'est ça... une corne de brume. Il y a un autre bateau dans le coin !

On a retenu notre souffle pour mieux écouter, le cœur battant. Quel suspense ! Puis le son d'une sirène s'est élevé, au loin, depuis un autre endroit.

Juliette a ouvert ses mirettes en grand et Ferdinand s'est gratté le menton, en fronçant les sourcils. On cherchait tous à voir quelque chose.

Le brouillard était en train de se lever. On a commencé à distinguer un commencement de paysage. Le temps s'est alors presque arrêté !

La brume s'est dissipée lentement avec le soleil. Dans le flou, j'ai cru voir un autre bateau avec une voile blanche. En regardant encore, c'était bien ça : un beau voilier avec une ancre et un drapeau tout en haut du mât. Il était posé sur une colline, un peu en déséquilibre. Et puis j'en ai vu un deuxième, plus gros, avec une coque rouge, sur une autre colline. Et puis un troisième, cette fois-ci c'était un énorme pétrolier tout rouillé, avec de la fumée qui sortait de ses trois cheminées. Là on ne pouvait plus douter. Chaque bateau nous envoyait des bonjours avec sa sirène. Beuhhhhhhhh ! Beuhhhhhhhh ! En réponse, Roger et Denise ont trompeté à qui mieux mieux. Bientôt, ç'a été une vraie cacophonie.

Juliette a pris Ferdinand dans ses bras, ils ont dansé comme des jeunes mariés. Ma mère ne touchait plus le sol tellement mon père y mettait de l'ardeur. Quel soulagement ! On s'est tous embrassés comme un soir de réveillon.

Quand l'horizon a été totalement dégagé, ce sont des dizaines, et même des centaines de bateaux de fortune qui étaient posés autour de nous jusqu'à perte de vue. On en voyait de tous les côtés. Ça ressemblait à un port, mais en plein milieu de la terre. C'était vraiment bizarre et en même temps féerique.

24

Le crépuscule approchait.

Descendant de chaque embarcation, tous les res-
capés se sont réunis au milieu des bateaux. On s'y
est tous retrouvés. On a été pris dans une immense
foule, des femmes, des hommes, des enfants, des
bêtes... Tout le monde se parlait, chantait et riait.
Avec Lili on a dit bonjour à tous ceux qu'on croi-
sait, on est passés de bras en bras, on nous a
embrassés, serré la main, offert des petites gâte-
ries... Au centre de la plaine, des hommes ont
amassé un immense tas de bois et d'herbe sèche et
allumé un feu de joie. C'était géant.

181

Autour du feu une farandole s'est formée. On ne faisait pas la différence, qu'on soit humain ou animal, on a tous chanté et dansé les uns avec les autres. Je n'ai jamais vu une fête comme celle-ci, vraiment extraordinaire.

Tout à coup, près du feu, maman s'est mise à crier très fort, si fort que tout le monde s'est arrêté net et l'a regardée. Elle sautait autour des flammes en tournant sur elle-même avec son parapluie grigri ouvert, lançant vers le ciel des formules incompréhensibles. Voilà qu'elle repartait dans la magie ! Elle est entrée dans une transe comme jamais elle n'en avait eu. Son parapluie lui a échappé et s'est envolé mystérieusement dans les airs. On a tous levé la tête pour voir ce qui allait se passer.

Dans la nuit, une ribambelle de points lumineux clignotants sont apparus. Juliette était tendue vers le ciel. Tout le monde s'est mis à regarder dans la même direction en se posant la même question : « Qu'est-ce que ces petites lumières ? » On a tous senti que quelque chose d'extraordinaire était en train de se produire. J'ai même cru entendre une sorte de musique céleste.

Une forme a plané majestueusement vers nous, descendant du ciel dans une lumière aveuglante, diffractée par la fumée du feu. L'intensité était si forte, qu'on a eu de la peine à distinguer ce qui se passait.

Puis peu à peu la forme s'est précisée. On s'était tous fait prendre, ce n'était qu'un camion surmonté d'un gyrophare et d'une barre de projecteurs. Au son du klaxon italien, j'ai tout de suite compris que c'était la camionnette des Lamotte.

Le camion s'est arrêté au milieu de la foule. René Lamotte a ouvert la portière, a secoué la poussière qu'il avait sur lui à l'aide de sa casquette rouge, puis il a relevé ses énormes lunettes de moto.

— Salut, la compagnie ! Eh bien dites donc, ça fait plaisir de voir du monde, après deux mille kilomètres dans la poussière, hein !

— Et pas une goutte d'eau sur la route ! a ajouté Louise.

Sur le coup, c'était tellement inattendu, tellement irréel, que je n'ai pas pensé une seconde à Lili.

On s'est tous frotté les yeux. Soudain, un cri strident ! C'était Lili qui venait de réaliser que ses parents étaient là et qui traversait la foule et les milliers de mains tendues pour se jeter dans leurs bras, folle de joie. Ils se sont embrassés tendrement. Lili passait de l'un à l'autre et de l'autre à l'un.

— Maman ! Papa !

— Lili, ma chérie !

— Papa ! Mon papounet chéri !

— Ah ben ça, poupée ! a dit René qui n'en revenait pas.

— Mais je vous croyais morts !

— Morts ! Nous ? Increvables les Lamotte, ma p'tite ! D'la peau de granit !

— Oui, et j'te raconte pas par où il nous a fait passer ! n'a pas manqué d'ajouter Louise. Ouh là là ! Rien que d'y penser !

Puis changeant de ton :

— Alors toi, ma poupoute, qu'est-ce que tu fais là, tu vas bien au moins, dis-moi ? Je me suis fait tellement de soucis ! Je ne pouvais pas t'écrire, même pas te téléphoner. La où on était il n'y avait rien.

— Mais oui, maman, tout va bien ! Mais c'est vous ! J'pensais que j'allais jamais vous revoir !

— Ouh ! ça a bien failli arriver plusieurs fois ! Avec ton père qui veut toujours prendre des raccourcis pas possibles. Tu sais bien...

Là, je reconnaissais bien le père de Lili, il avait dû lui en faire voir de toutes les couleurs, « des vertes et des pas mures », comme dit mon père.

— Mais non ! La preuve, on est là ! a certifié René, jovial.

Avec Ferdinand, qui m'avait pris sur ses épaules, et Juliette, on s'est approchés.

184

— Ah, mais y' a toute la clique ! Ben, pour une surprise c'est une surprise ! Louise, regarde ce comité d'accueil !

— René ! Louise ! Bon sang de misaine, mais sapristi ! D'où venez-vous ?

René s'est retourné et a montré du doigt l'endroit d'où ils étaient arrivés.

— Ben, de par-là ! Tout droit !

— Mais le déluge ?! Mais comment vous avez fait ?

René s'est renfrogné un peu

— Déluge ! Quel déluge ? Vous me cherchez ou quoi, Ferdinand ?

— On vient tout juste d'échapper à la catastrophe ! Mais vous ?!

— De quelle catastrophe vous parlez, m'sieur Ferdinand ? a demandé Louise. Vous voulez me faire peur, hein ? Si vous croyez que je n'en ai pas assez enduré. Depuis que je suis partie j'ai une boule au fond de la gorge. Ouh là là !

— Mais l'inondation, le déluge, quoi ! Enfin... Louise ! a répondu Juliette.

— Arrêtez avec ça, Juliette, ce n'est pas drôle !

Comment se pouvait-il qu'ils n'aient pas subi le déluge comme nous ?

C'était bizarre. La mère de Lili avait l'air sincère. Là, je ne comprenais plus rien du tout. Avait-on rêvé ? Venait-il réellement du ciel ? Soudain René m'a tiré de mes pensées, il était parti d'un énorme éclat de rire et donnait de petits coups de coude à sa femme.

— Ooooooooh, d'accord, les blagueurs ! Ils sont en train de nous raconter des histoires !

Puis brusquement il a changé de ton.

— Bon, allez, au lieu de nous baratiner avec vos bêtises, vous ne trouvez pas qu'il fait soif ? Y aurait pas un p'tit pastis pour moi, par hasard ?

Louise lui a fait les gros yeux.

— René ! Tu ne peux pas attendre un peu ? tout de même !

— Il ne changera jamais, le père Lamotte ! a dit mon père. Oh, et puis on s'en fiche de tout ça ! Allez, venez, venez, on va faire la fête !

— Oui, comme vous dites, on s'en fiche !

Louise était joyeuse, elle n'arrêtait pas de tripoter Lili comme si elle voulait vérifier que c'était bien elle. Elle lui frottait la tête, le dos, les cuisses, lui tordait le bout du nez, lui tirait les oreilles... Dans les yeux de Lili j'ai vu que ça commençait déjà à l'agacer.

— Oh, comme je suis heureuse de tous vous retrouver !

— Allez ! Louise, René ! Venez, on va danser !

Autour de nous, la fête battait son plein. La farandole est passée dans notre dos, un des gars en a profité pour nous attraper par le bras et on a été entraînés avec les autres dans une danse rigolote. Je me suis retrouvé comme par hasard à côté de Lili, sa main était chaude, elle me serrait juste comme il fallait et j'ai eu envie de ne plus jamais la lâcher.

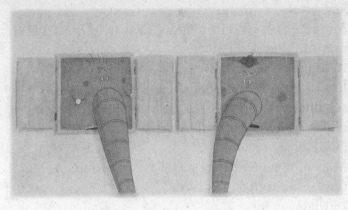

épilogue

DENISE, ÉLÉPHANT FEMELLE :
T'as vu l'heure, Roger ?
ROGER, ÉLÉPHANT MÂLE :
Non. Pourquoi ?
DENISE :
Ça fait deux heures qu'on aurait dû aller se cou-
cher !
ROGER :
Ah ! mais c'est un jour spécial, aujourd'hui ! On
peut bien changer un peu nos habitudes, non ?
DENISE :
J'te dis que ça fait quand même deux heures... J'sais
pas si tu sais, mais c'est minuit passé !

ROGER :

Minuit ? Bah ! Pour une fois, Denise ! On va pas en mourir. Non ?

DENISE :

J'te rappelle que tu étais d'accord pour qu'on aille se coucher à dix heures, et maintenant tu changes d'avis. Tu changes toujours d'avis !

ROGER :

Mais non je ne change pas d'avis. J'écoute mon instinct, c'est tout !

DENISE :

Oui mais pendant que Môsieur écoute son instinct, moi je tombe de sommeil.

ROGER :

Eh ben, va te coucher toute seule !

DENISE (*offusquée*) :

Toute seule ? Non mais tu n'y penses pas, tout de même !

ROGER :

Alors reste là, mais arrête tes jérémiades. Tout le monde s'amuse, enfin !

DENISE :

N'empêche que t'as changé d'avis.

ROGER :

Oui bien voilà ! J'ai changé d'avis, il n'y a que les imbéciles qui changent pas d'avis...

DENISE :

Tu dis ça pour moi, Roger ?

ROGER :
Mais non, j'dis pas ça pour toi, enfin !
DENISE :
Je suis sûre que tu as dit ça pour moi.
ROGER :
Non ! Je te jure que non.
DENISE :
C'est bien vrai ?
ROGER :
Enfin Bibiche, sur la tête de ta mère !
DENISE :
J'ai cru que tu m'aimais plus, Roger...
ROGER :
Qu'est-ce que tu vas imaginer là, Bibiche ?
DENISE :
Alors dis-moi que tu m'aimes encore ! Que t'as besoin de moi.
ROGER :
Mais bien sûr.
DENISE :
Alors dis-le ! J'ai rien entendu...
ROGER :
Enfin tu le sais très bien, j'ai pas à te le dire.
DENISE :
Tu vois ! Tu ne m'aimes plus...
ROGER (*las*) :
Ooh ! mais qu'est-ce que tu vas encore inventer là ! Bon, je t'aime. Là ! Voilà ! T'es contente ?

« Pour l'éditeur, le principe est d'utiliser des papiers composés de fibres natu-
relles, renouvelables, recyclables et fabriquées à partir de bois issus de forêts qui
adoptent un système d'aménagement durable. En outre, l'éditeur attend de ses
fournisseurs de papier qu'ils s'inscrivent dans une démarche de certification
environnementale reconnue. »

Composition Jouve - 53100 Mayenne
N° 341931n
Achevé d'imprimer en Italie par G. Canale & C. S.p.A.
32.10.2503.4/06 - ISBN : 978-2-01-322503-8
Loi n° 49-956 du 16 juillet 1949 sur les publications destinées à la jeunesse
Dépôt légal : janvier 2011